SEGEN AUF SEE

Katharina
Plehn-Martins

Segen
auf See

*Mit einer Seelsorgerin
auf Kreuzfahrt*

Für Marin und

Günther –

Katharina

Plehn-Martins

Patmos Verlag

VORWORT

Vier Kreuzfahrt-Reisen auf zwei Schiffen sind die Basis für dieses Buch, das Sie aufgeschlagen haben. Ich wurde von der *Evangelischen Kirche in Deutschland* für den ehrenamtlichen Dienst als Bordseelsorgerin auf Kreuzfahrtschiffen beauftragt. Unterwegs war ich gen Norden über die märchenhaft anmutende Inselwelt der Lofoten bis zum Nordkap, sah die unvergleichlich beeindruckenden Fjordlandschaften Norwegens, besuchte in Oslo das spektakuläre „Opernhuset". Mein Dienst führte mich nach Genua und weiter in südlicher Richtung durch die Straße von Messina nach Sizilien auf den immerfort grummelnd-spuckenden Ätna. Die traumschöne Inselwelt der Ägäis mit Santorin und Kos durfte ich besuchen, die türkische Hafenstadt Bodrum, und kam wieder nach Griechenland zurück: Chios, Inousses, Limnos und Kavala, Skiathos, Piräus/Athen und Ithaka schenkten mir fantastische Bilder bevor das Schiff für einen Rom-Besuch im Hafen von Civitavecchia vor Anker ging. Zwei Ostsee-Reisen rundeten mein Kreuzfahrt-Reiseprogramm ab: Oslo/Norwegen, Göteborg und Gotland/Schweden, Kopenhagen/Dänemark, Riga/Lettland, Baltijsk/Russland mit Kaliningrad, dem ehemaligen Königsberg und Danzig/Polen konnte ich auf zwei großartigen Kreuzfahrten besuchen. Dennoch erwartet Sie, die Lesenden, kein Reisebericht im herkömmlichen Sinne, kein Verlauf *einer* Reise, sondern eine

lebendig-bunte Sammlung von Texten unterschiedlicher Länge und Inhalts. In diesen „Miniaturen"
wird Erlebtes und Wahrgenommenes der vier Reisen aus der Perspektive einer Pfarrerin erzählt und
reflektiert. Die Namen der Schiffe sind verändert,
Personen werden anonymisiert und in andere Kon-
texte gesetzt. Doch im Hintergrund stehen nicht er-
fundene, sondern wahre Geschichten.

Berlin, im Frühjahr 2016,
Katharina Plehn-Martins

ALLES
BEGINNT
VOR DEM
ANFANG

WIE AUS EINER HAUPTSTADTPFARRERIN EINE BORDGEISTLICHE WURDE

Siebentausendsiebenhundertfünfundachtzig Tage in einer großen Berliner Innenstadtgemeinde: 21 Jahre und drei Monate einer reichen, sehr arbeitsreichen Zeit liegen hinter mir. Gemeinsam in einem starken Pfarrteam, das es nicht immer leicht miteinander hatte, zusammen mit ambitionierten Mitarbeiterinnen und Mitarbeitern und einer einsatzbereiten Gruppe hochmotivierter Ehrenamtlicher ist es uns gelungen, in unserem Wilmersdorfer „Dorf in der Stadt" Kirche zu bauen. Sieben Tage die Woche „summt und brummt" es bei uns – wir wachsen gegen den Trend! Doch eines Tages ist es auch für mich soweit: Ruhestand *ante portas*. Die Gemeinde verabschiedet mich in einem überwältigenden Gottesdienst. Ein rauschendes Fest schließt sich an, und ich kämpfe ständig mit den Tränen: Abschiedstränen, Wehmutstränen, Freudentränen? Sicher von allem etwas. Wie sagte schon der begnadete Prediger Salomo: *„Ein jegliches hat seine Zeit ...".* Die Kontinuität in meiner Nachfolge erweist sich als personell schwierig, also mache ich noch ein Jahr in deutlichem Umfang „ehrenamtlich" weiter. Unendlich kann das so nicht weitergehen, mein Platz soll die Kirchenbank und nicht die Kanzel sein. Hin und wieder mal ein Gottesdienst, eine Taufe, eine Trauung oder eine Trauerfeier, ja. Eine Gemeindereise, ja

gerne. Mehr nicht. Wie soll aber *mein Leben* weitergehen? Muße muss ich erst wieder lernen – auch
das braucht seine Zeit. Ich sehe mich schon auf dem
Sofa sitzen und die Bücher der letzten 21 Jahre lesen. Bloß nicht, bloß keine Monokultur! Statt Sofa
Griechenland – ich gehe mit einer Gruppe auf Reisen: auf die Peloponnes nach Korinth, nach Epidauros, Mykene, Olympia, Delphi und Athen. Mit dem
Dichter Nikos Kazantsakis kann ich sagen: „*Griechenland erfüllt nicht nur das Auge mit Freude, nicht
nur das Herz, sondern auch den Geist. Denn hier begegnet man nicht nur Steinen und Erde und Meer, sondern
auch großen Seelen, die diesen Rahmen mit Geschichte
füllten.*" Und auch Menschen begegnet man, wenn
man nicht fremdelt. Fremdeln ist mir überhaupt
nicht fremd, doch nach wenigen Tagen sind aus vormals Fremden in der Reisegruppe Freunde geworden. Und einer der neuen Freunde meint, mich auf
den Weg der Bordseelsorge schicken zu müssen.
Hmmh, das wiederum ist mir *sehr* fremd. Den Gedanken nehme ich dennoch mit nach Hause, erör-
terte ihn mit meinem Mann und komme zu dem Er-
gebnis: „*Ich könnte mich ja mal in Hamburg bei der
Evangelischen Auslandsberatung erkundigen …*".

Schon ist es passiert: Wenige Monate später
steige ich die Gangway eines strahlend weißen, noblen Kreuzfahrtschiffes hoch. Wie kommt es zu diesem Sinneswandel? Zum einen aus der Situation heraus: Ich habe Zeit. Keine Pflichten mehr. Ich liebe
Reisen, bin mein ganzes Leben lang im eigentlichen

wie im übertragenen Sinne eine Reisende gewesen. Zum anderen bin ich mehr als zwei Jahrzehnte mit Leib und Seele Gemeindepfarrerin gewesen, habe Menschen seelsorglich begleitet, Gottesdienste und Andachten gehalten, Gruppen geleitet, KiTa-Kinder, Konfirmanden, jüngere und alte Menschen wie auch Trauernde begleitet, Ehrenamtliche gewonnen. Alles Erfahrungen, die sich gut mit Bordseelsorge verbinden lassen, diesem speziellen Teil von Urlauberseelsorge. An Bord würde ich weiterhin als Pfarrerin arbeiten können mit einer Gemeinde auf Zeit. So betrachtet, passt Bordseelsorge perfekt zu meiner Situation und Profession.

Doch bevor ich mich endgültig entscheide, muss ich für mich selbst zwei Fragen klären. Erstens: Muss es denn ein Kreuzfahrtschiff sein? Diese Dreckschleudern, die die Umwelt verpesten? Die ökologische Kritik an dem boomenden Kreuzfahrt-Tourismus ist mir natürlich bekannt. Sie hat ihre Berechtigung, besonders, wenn sie von Menschen geäußert wird, die kein Auto fahren, die nicht fliegen und deren Lebensstil auch sonst einem ökologisch vertretbaren Standard entspricht. Davon wiederum kenne ich nur ganz wenige – ich kenne viel mehr von den anderen ... Dennoch ist die kritische Anfrage nicht einfach vom Tisch zu wischen. Bis zu einem gewissen Punkt teile ich sie, halte mich aber trotzdem offen dafür, im Auftrag der Kirche an Bord kleinerer Kreuzfahrtschiffe zu gehen. Das sind Schiffe mit einer Passagierkapazität zwischen 400 und 800 Personen und keineswegs diese kolossalen schwimmenden Megahotels, die Städte wie Venedig in besonderer Weise, aber auch die touristische Infrastruktur ganzer Regionen gefährden. Die Schiffe fahren, sie fahren auch ohne mich, und so entschließe ich mich, Menschen auch bei dieser umstrittenen Form des Reisens seelsorglich zu begleiten. Ein Rest bleibt, auch in mir.

Meine zweite Frage ist: Muss es denn Seelsorge an Wohlhabenden sein? An denen, die sowieso auf der Sonnenseite des Lebens stehen? Die Antwort fällt mir hier leichter: Warum nicht? Steht ihnen nicht auch pastorale Begleitung zu? Die Gleichung „hier die Reichen" und „da die Armen" geht nicht einfach auf. Wo ist die Grenze? Viele von uns sind wirtschaftlich gut gestellt, auch wenn sie nicht zu *den Reichen* gehören. Auch Wohlstand ist relativ. Wer ohne Mühe an dem partizipieren kann, was das Leben reich macht, der oder die ist reich. Vermögend in dem Sinne, dass man vieles möglich machen kann. Ich denke an Kino, Theater, Literatur, gut essen, reisen. Wer finanziell sorglos leben kann, eine schöne Wohnung hat und sich gut kleiden kann, der ist reich. Wissen wir so genau, wie die Leute, die sich eine noble Kreuzfahrt erlauben können, leben und arbeiten? Wissen wir, ob sie nicht von ihren Mitteln abgeben, in großem Umfang spenden, gesellschaftlich Verantwortung übernehmen?

Nachdem ich mir zu diesen beiden Fragen eine Haltung erarbeitet habe, lasse ich mich verbindlich auf Bordseelsorge auf Kreuzfahrtschiffen ein. Viel später auf einer Kreuzfahrt treffe ich einen Mann, der mich sehr beeindruckt. Ich spreche auf seiner Urlaubsreise viel mit ihm, erfahre seine persönliche Geschichte, die geprägt ist von dem, was wir leicht unter „Schicksalsschläge" verbuchen. Traurig. Beruflich ganz klein angefangen, hat er Karriere gemacht, es zu einem Vermögen gebracht, das ihn das ganze Jahr lang auf Kreuzfahrtschiffen um die Welt reisen lassen könnte. Macht er aber nicht. Seit er im Ruhestand ist, engagiert er sich ehrenamtlich in einer Evangelischen Diakonischen Einrichtung und ist derzeit in großem, verantwortungsvollem Stil mit Flüchtlingsarbeit befasst. Meine seelsorgliche Zuwendung auf einer Kreuzfahrt-Reise zum Nordkap tut diesem Mann wohl. Nach der Begegnung mit ihm denke ich erst recht: Wir sollten das eine tun, ohne das andere zu lassen. Das scheint mir eine angemessene Einstellung zu sein. Schwarz-weiß-Denken hilft nicht, die Welt ist komplizierter.

Neben solchen Grundsatzfragen steht für mich auch noch eine Begriffsklärung auf der Tagesordnung, nämlich die nach der Bezeichnung „Kreuzfahrer". Wir hören und gebrauchen diesen Begriff heute im modernen Sinne des Kreuzfahrt-Tourismus. Wer aber historisch und kritisch denkt, dem kommen natürlich die Kreuzzüge seitens des christlichen Abendlandes zwischen Ende des 11. bis zum 13. Jahrhundert in den Sinn. „Kreuzfahrer" steht als Wort zuallererst für „Teilnehmer an einem Kreuzzug". Ich kann „Kreuzfahrer" wie „Kreuzfahrten" begrifflich nicht völlig von dieser unrühmlichen Geschichte ablösen. So habe ich mich entschlossen, den Begriff „Kreuzfahrer" zu meiden und stattdessen von „Kreuzfahrt-Touristen" oder „Kreuzfahrt-Passagieren" zu sprechen, und hoffe, Menschen für diesen Sprachgebrauch sensibilisieren zu können.

Nach meinem ganz persönlichen Annäherungs- und Klärungsprozess sind für mich die Würfel gefallen: Ich beginne, mich mental wie praktisch auf meinen ersten Bordseelsorge-Einsatz vorzubereiten. Das heißt erst einmal Schreibtisch- und PC-Arbeit zu Hause vor Beginn der Reise. Grundsätzlich sind Andachten, Gottesdienste, Vorträge *vorher* zu erarbeiten. Sie gehören ins Reisegepäck und werden auf dem Schiff dem Verlauf und der Situation entsprechend passend gemacht. Diese Vorarbeit ist zeitaufwendig. Ein wenig stochert man vor jeder Tour im Dunkeln. Es ist nicht von vornherein klar, was auf einer Kreuzfahrt wirklich gewünscht wird. Einmal habe ich alle vorbereiteten Vorträge mit Freude gehalten und gute Resonanzen darauf bekommen. Ein andermal blieben alle Vorträge ungenutzt im Gepäck, weil der zuständige Entertainment-Manager mich ausschließlich für pastorale Kernaufgaben wie Gottesdienste, Andachten und Seelsorge einteilte. Ich habe auch erlebt, dass während des Besuchs einer Griechisch-Orthodoxen Kirche einige Gäste nach Basiswissen zur Orthodoxie fragten. Meine kirchengeschichtlichen Seminare lagen weit hinter

mir, aber nicht zufällig hatte ich dazu einige passende Bücher im Gepäck. So setzte ich mich spontan
hin und erarbeitete an Bord „Zugänge zur Orthodoxie". Das hat mich zwar eine halbe Nacht und mehr
gekostet, aber die Gäste hat es gefreut, und ich selbst
nutzte die Gelegenheit, altes Wissen aufzufrischen.
So oder so – die Arbeit beginnt zu Hause, viel später
erst heißt es: Leinen los! Dazu aber muss ich auch
erst einmal den Hafen erreichen.

CHAOS
UND CRUISE

EINE TURBULENTE ANREISE ZUM SCHIFF – ZWEI WELTEN SO NAH UND SO FERN

Bei Lauenburg bleibt der Zug stehen. Durchsage: *„Wegen einer Demonstration am Hamburger Bahnhof ist der Zeitpunkt der Weiterfahrt momentan unbestimmt."* Klasse – genau dorthin muss ich aber! Zum Boarding für meinen dreiwöchigen Einsatz als Bordgeistliche auf dem Kreuzfahrtschiff MS Enea. Was tun? Ruhe bewahren, abwarten, wie es weitergeht ... Irgendwann – und sogar rechtzeitig – erreicht der ICE den mit Hundertschaften von Polizei besetzten Hamburger Hauptbahnhof. Was für ein Bild! Unbehagen statt prickelndem Gefühl der Vorfreude macht sich in mir breit. Welcher Ausgang ist der richtige zum Treffpunkt der Reederei an der Kirchenallee? Ich frage einen Polizisten. *„Wees ick nich, ick komm aus Berlin"*, sagt der. Ich antworte: *„Ick ooch."* Wir lachen beide.

So richtig lustig ist die Stimmung aber doch nicht am Hamburger Bahnhof. Demonstranten hatten kurz zuvor alle Gleise blockiert, die Züge mit Steinen beworfen – vermummte Polizisten, wohin ich blicke. Bei meiner Ankunft stolpere ich aber schon in die Phase der Deeskalation nach der Demo „Bündnis gegen Rechts – kein Platz für Nazis". Sachlich kann ich mich dem Protest durchaus anschließen, frage mich aber, ob eine gesellschaftlich verantwortungsbewusste und gute gemeinte Demonstration solche Formen annehmen muss. Von der vorausgehenden Nazi-Demonstration bekomme ich nichts mehr mit, ich sehe nur Polizei, Polizei, Polizei und teilweise in Camouflage-Klamotten gekleidete und gepiercte Demonstranten, die sich auf dem Bahnhofsvorplatz Kirchenallee tummeln. Ein schlafendes Pärchen mit Hund liegt auf dem Steinpflaster, andere Demonstranten stärken sich nach getaner Tat mit Pommes und Bier. Großstadtkulisse mit Höllenlärm und mittendrin: der Reederei-Stand. In ihren eleganten blauen Uniformen nehmen die Touristik-Mitarbeiter freundlich-gelassen das Gepäck der anreisenden Gäste entgegen, empfehlen das Bahnhofsrestaurant als Ausweichort bis zur Abfahrt der Busse. Ich entscheide mich für den Buchladen mit dem starken Security-Mann am Eingang und den schönen großen Glastüren, die bei Bedarf flott geschlossen werden können: *„Kommen Sie ruhig rein, wir machen die Türen zu, wenn's wieder losgeht ...“* Es ging nicht wieder los, die Hundertschaften der Polizei zogen nach und nach in Richtung Rathausmarkt ab, der Stadtreinigungsfuhrpark übernahm mit Getöse das Regiment. Eigentlich wünschte man sich nur eins: Nix wie weg! Aber selbst das brauchte seine Zeit: Erst nach und nach konnten die Zubringerbusse zur Hafencity vorfahren, sich durch die verstopften Innenstadt-Straßen ihren Weg bahnen. Was für eine irre Welt! Die Sehnsucht nach einer schöneren, friedlichen Welt stieg in mir hoch und ich überlegte, wie es wohl den anderen Kreuzfahrt-

Gästen am Hamburger Bahnhof ging an diesem Mittag.

Die schönere, friedliche Welt sollte mir recht bald begegnen, nämlich am Sandtorkai in der Hafencity. Dort hieß es ein paar Stunden später: „Leinen los zur großen Cruise-Day-Parade." Drei Cruise-Liner, von zahlreichen Begleitbooten flankiert, sollten unter dem von einem spektakulären Feuerwerk erleuchteten Abendhimmel den Hamburger Hafen verlassen und elbabwärts schippern. Eines dieser Schiffe war die „MS Enea", die „Schönste Yacht der Welt", fünf Sterne plus mit edlem Ambiente und feinster Kulinarik: Langusten und Schampus. Das Schiff, auf dem ich die nächsten drei Wochen als Bordgeistliche Dienst tun sollte. Während ich die Gangway hochgehe, weiß ich: Ab jetzt bin ich nicht mehr Privatperson. Drei Wochen im Standby-Modus liegen vor mir. Ich weiß nicht, was auf mich zukommt. Ich weiß nur, was hinter mir liegt. An diesem Samstag erlebte ich in Hamburg Ausschnitte zweier absolut konträrer Welten, die sich punktuell am Bahnhof berührten.

APFELSINENKISTEN-CHARME ODER SUITE MIT MEERBLICK

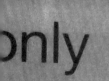

IM BAUCH EINES KREUZFAHRTSCHIFFES FINDET DIE PFARRERIN IHREN PLATZ

Ein Stückchen Paradies soll es schon sein auf der Reise: friedlich und vor allem schöner als das, was man sonst an Land erlebt. Dazu gehört es, schön zu wohnen auf dem Schiff. Schön, schöner am schönsten – je nach Geld und Großzügigkeit. Diese Wahl hat die Pfarrerin nicht. Sie ist im Dienst, bekommt eine „Dienstkabine" oder „Dienstsuite" zugewiesen. Das ist von Reise zu Reise höchst spannend. Die eine Reederei hat eine feste Pfarrer-Kabine, in der man Gesangbuch und Bibel gleich in der Schublade findet. Eine andere belegt nach Verfügbarkeit. Bis zum Boarding weiß man nicht, wo man untergebracht ist. Auf welchem Deck? Vorne, hinten oder schiffsmittig? Gibt es ein Fenster zum Meer? Oder sogar eine Verandasuite mit Balkon? Alles habe ich bisher erlebt, und das ist gut so. Einmal bin ich aber fast verrückt geworden. Meine Kabine lag ziemlich genau über dem Maschinenraum, nie gab es Ruhe, Nacht für Nacht Gestampfe und Getöse. Wie sollte ich das zwei Wochen lang durchstehen mit Gottesdiensten und Andachten am Morgen, Escort an Landtagen, immer im Standby-Modus für Seelsorge und andere Gespräche? Drei Nächte habe ich diese Qualen tapfer ausgehalten. Die Bitte um eine andere Unterkunft brachte dann Erlösung: Die Reise war gerettet! Ein andermal wohnte ich in einer großzü-

gigen Verandasuite mit Blick aufs Meer, vorbeiziehenden Landschaften und Schiffen bei Tag und
Nacht. Glückseligkeit pur, hier war ich dem Paradies
sehr nahe.

Ist eine Reise voll ausgebucht, dann kann es einem Crewmitglied auf Zeit wie der Bordgeistlichen
aber auch ganz anders gehen: Sie bekommt eine Kabine im Crew-Bereich zugewiesen. Wohnen im
Bauch des Schiffes. Ich nehme eine solche Unterbringung sportlich und mit großem Interesse. Wie
mag es wohl aussehen hinter der massiven Brand-
schutztür, die den Crew- vom Gäste-Bereich des
Schiffes trennt? Mit Respekt habe ich immer das
„Crew only"-Schild betrachtet; nun öffne ich selbst
die Tür, um in den mir bisher verschlossenen Teil
des Schiffes einzutreten. Beim Übertreten der
Grenze zwischen „öffentlich" und „verboten" kommen mir Märchen-Bilder in den Sinn, träumerische
Gedanken, die durch ein lautes *„Halt, hier dürfen sie
nicht rein!"* jäh unterbrochen werden. Jemand vom
Staff versucht mich aufzuhalten. Vergnügt kommt
aus mir heraus: *„Doch, ich darf!"* Crewbewusst ziehe
ich an einem höchst kommunikativen Ort – nämlich
der Mitarbeiter-Raucherecke – vorbei und sehe
blitzblanke, atmosphärisch an eine Krankenstation
erinnernde, kalte Gänge vor mir. Hier biege ich in einen Nebengang und schiebe mich und mein Gepäck
an Wäschekörben und Kleiderständern entlang zu
meiner Kabinentür.

Zum zweiten Mal öffne ich heute die Tür zu einem mir bisher verschlossenen Bereich und staune. Dem verwöhnten Sterne-Plus-Blick präsentiert sich eine sehr bescheidene Unterkunft mit Apfelsinenkisten-Charme: kein Bullauge, kein Fenster, kein Tageslicht. Enge ohne Stuhl, einfachste, rohe Holzregale, Doppelstockbett. Ich richte mich ein. Beim Auspacken des auf dem Boden liegenden Koffers erinnere ich mich, wie ich *auch* schon auf einem Schiff gewohnt habe: mit viel Licht, einer Veranda mit Sommermöbeln, Weite mit begehbarem Kleiderschrank, Schlafen bei geöffneter Tür, King-Size-Bett für mich allein. Welch ein Luxus! Aber geht es mir jetzt schlecht in dieser Schiffsbauchhöhle? *„Ein jegliches hat seine Zeit ...“*, kommt mir mit den Worten des Predigers Salomo in den Sinn. Ich denke an mein Studienjahr in Jerusalem, als ich mit einer Kommilitonin in einer sehr bescheidenen Studentenbude hauste und gar nichts dabei fand. Lernen und Leben in der aufregenden Stadt war wichtiger als komfortabel zu wohnen. Ich denke ebenso an die erste Andalusien-Reise mit meinem Mann, kurz bevor das erste Gehalt auf mein Konto kam. Wir fanden ein bezahlbares Zimmer in einer einfachen Pension im Herzen der Altstadt von Sevilla. Mit jedem Buch und jedem Kunstkatalog, den wir dort hinschleppten, wurde das schlichte Zimmer zum lauten Hof mehr unser Zuhause. Als wir abreisten, waren wir traurig, genau dieses Zimmer verlassen zu müssen. Solche Unterkünfte sollten temporär sein. Aus ihnen heraus kann man die Welt entdecken, ob in Jerusalem, in Sevilla oder auf einem Kreuzfahrtschiff: Alles hat seine Zeit: Bescheidenheit hat ihre Zeit, Großzügigkeit hat ihre Zeit.

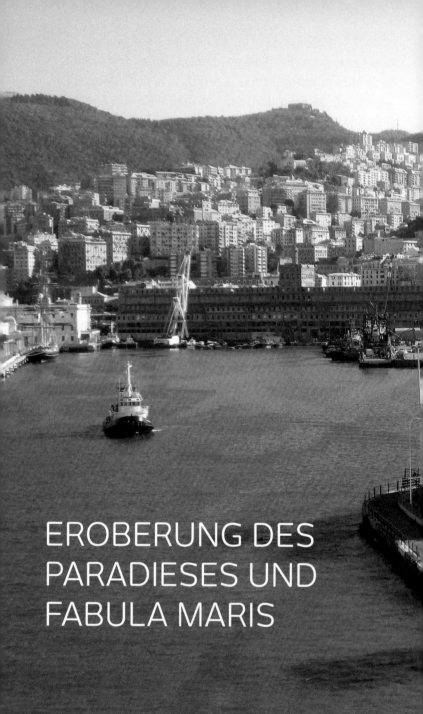

EROBERUNG DES PARADIESES UND FABULA MARIS

DAS SCHIFF VERLÄSST DEN HAFEN

Wenn das Schiff den Hafen verlässt, darf ich nicht verpassen, auf einem der oberen Decks zu stehen. Boarding, Kabinenbelegung und obligatorische Sicherheitsübung habe ich hinter mich gebracht, und nun erklingt sie über alle Lautsprecher, die Auslaufhymne. Die Musik, die uns während der ganzen Reise begleiten wird. Auf der „MS Aquila" ist das *Die Eroberung des Paradieses*, Filmmusik des griechischen Komponisten Vangelis. Auf der „MS Enea" hören wir die *Fabula Maris* des italienischen Komponisten und Pianisten Gino Castelli. Er hat die Hymne der Geschichte des Meeres nur für diesen Liner komponiert. Jedes Schiff beglückt seine Gäste mit ganz besonderer Musik, die je und je auch ein besonderes Reise-Erlebnis verspricht.

Endlich ist es soweit, die lang ersehnte Kreuzfahrt beginnt, jeder einzelne Tag liegt verheißungsvoll und unverbraucht vor einem. Man möchte alles Belastende hinter sich lassen, gibt sich träumerisch-erwartungsvollen Gedanken hin: Was wird man alles sehen und erleben? Welchen Menschen begegnen? Welche neuen Freundschaften schließen? Paradiesische Perspektiven im Horizont der großen Freiheit einer Seereise. Wo sich Himmel und Meer berühren, wird das Herz ganz weit.

Den Gästen selbst ist oft gar nicht bewusst, dass sie neben ihren Reiseutensilien auch ihre Probleme im Gepäck mitbringen. Probleme, die sie in der entspannten Urlaubssituation mit voller Wucht einholen könnten. Wie viel Sehnsucht passt in einen Koffer? Wie viel Hoffnung auf Veränderung? Wie viel Verdrängung? Wovor möchte man fliehen? Alles, was traurig macht und das Leben schwer, das soll gefälligst an Land bleiben. Jetzt, in diesen Minuten, ist die Eroberung des Paradieses angesagt: Die Musik ertönt, das Schiff läuft aus!

Nie lässt mich das kalt, jedes Mal flitze ich hoch und genieße den erhabenen Moment. Ich stehe oben an der Reling und lasse die Skyline der Hafenstadt, die wir gerade verlassen, an mir vorüberziehen. Was für ein großartiges Gefühl!

Einmal habe ich aber genau das Gegenteil empfunden, wäre am liebsten zurück ans sichere Land geflüchtet, während der himmlische Soundtrack eine paradiesische Reise versprach. Das war im Hafen von Genua. Unser charmantes kleines Kreuzfahrtschiff passierte die majestätisch anmutende, erhöht liegende Stadtkulisse und zog an einigen unauffälligen Schiffen vorbei, bis unerwartet – und darum umso schockierender – das Wrack der riesigen „Costa Concordia" in den Blick kam. Das düstere Skelett des vormals leuchtenden Megaschiffs, das nach dem 13. Januar 2012 traurige Berühmtheit erlangt hat. Keiner der Passagiere, mit denen ich an der Reling stand, hatte sich zuvor vergegenwärtigt, dass dieser Kahn, auf dem bei seiner Havarie 32 Menschen starben, inzwischen zur Verschrottung in den Hafen von Genua geschleppt worden war. Ein geisterhafter Anblick! Alle der noch vor wenigen Minuten erwartungsvoll gestimmten Gäste schwiegen betroffen. Manche machten Fotos. Ich musste an die Menschen denken, die damals, ähnlich erwartungsvoll wie wir heute, ihr großes Schiff zur „Eroberung des Paradieses" bestiegen hatten und von dieser Reise nicht mehr zurückgekehrt waren. Ich musste daran denken, was sich auf dem Schiff wohl abgespielt haben mochte, als klar wurde, dass es sinken würde. Meine Gedanken stockten. Nein, nicht weiterdenken! Aber der Schalter sprang nicht einfach um: Was wäre, wenn? Wieder Abwehr und Relativierung: So etwas passiert doch nicht ständig, nicht nach dem Gesetz der Wahrscheinlichkeit, und überhaupt ... Die bedrückende Stimmung ließ sich einfach nicht wegwischen. Ich fragte mich, ob es den anderen schweigenden Passagieren an der Reling wohl ähnlich ging wie mir: angesichts meerestiefer Todeserinnerung am liebsten flüchten zu wollen. Das Wrack der „Costa Concordia" erschien mir wie ein aufdringlich im Hafen liegender Widerspruch zur verheißenen „Eroberung des Paradieses", eine schreckliche Meeresgeschichte, weit entfernt von dem, was man sich auch von *Fabula Maris* erhofft. Der Anblick des Schiffswracks war für mich in diesem Moment nur durch Verdrängung auszuhalten.

Im nächsten Moment schob sich mir jedoch eine früher erlebte Situation in den Kopf: Das war beim Auslaufen eines anderen Schiffes aus dem Hafen von Danzig. Bei strahlendem Herbstsonnenlicht passierte unser Luxus-Liner die Westerplatte, die mit Datum des 1. Septembers 1939 den Beginn des Zweiten Weltkrieges markiert. Nur einige Seemeilen entfernt kamen wir zu der Stelle, wo Ende Januar 1945 das Kraft-durch-Freude-Kreuzfahrtschiff, die „Wilhelm Gustloff", durch ein sowjetisches U-Boot versenkt worden war. Mehr als 9.000 Menschen ertranken damals in den Fluten der Ostsee. Auch das ist eine schreckliche Meeresgeschichte, eine ganz andere. Die historische Einordnung und Verschiedenheit soll jetzt nicht Thema sein, wohl aber die Haltung des Kreuzfahrt-Kapitäns, der an diesem sonnigen Herbsttag über alle Bordlautsprecher seinen Gästen diese *Fabula Maris*, das Ende der „Wilhelm Gustloff", zumutete: ausführlich, sachlich, informativ. Mich hat er damit sehr beeindruckt. Im Hafen von Genua, das düstere Schiffswrack im Blick, die *Eroberung des Paradieses* im Ohr, kam mir diese andere, die Danziger Geschichte in den Sinn. Ja, dachte ich, der Wunsch nach Verdrängung hat ebenso sein Recht wie die Zumutung des Kapitäns, Erinnerung nicht zu verdrängen.

NETWORKING
IST ALLES

DIE BORDGEISTLICHE STELLT SICH VOR, SUCHT UND FINDET

Kaum eine Atempause gibt es am ersten Abend nach dem Auslaufen des Schiffes. Noch vor dem Dinner treffen sich die Tages- und Abendkünstler zu einem Arbeits-Aperitif. Einladende sind der Kreuzfahrt-Direktor und der Entertainment-Manager. Ihnen zur Seite stehen Leute, die für das Unterhaltungs- und Gästebegleitprogramm an Bord verantwortlich sind. Je nach Schiff sind das elegant oder leger uni-formierte Gästebetreuer, Hostessen oder Hosts ge-nannt, der Touristik-Manager, die Veranstaltungs-techniker. Zu ihnen gesellen sich etwa zwanzig bis fünfundzwanzig Sektglas schwenkende Menschen, die Künstler. Alle Künstler sind gespannt, wer dies-mal mit von der Partie ist: Musiker, Sängerin, Maler, Tanzpaar, Fechtmeister, Komiker, Lektorin, Meeres-biologe, Schauspielerin, Kunsthändler und nicht zu-letzt der Bordpianist und auch die Pfarrerin. „Künst-lerin des Wortes und der Empathie", denke ich selbstironisch bei meinem allerersten Treffen die-ser Art. Inzwischen habe ich mich an die Zuordnung gewöhnt, finde es gleichermaßen amüsant wie inte-ressant, auf Kreuzfahrtschiffen mit einem bunt zu-sammengewürfelten Haufen von Künstlern ver-schiedener Profession zu arbeiten und mit einem Entertainment-Manager als Dienstvorgesetztem auf Zeit zu tun zu haben.

In diesem Kreis sehr unterschiedlicher Menschen, die oft mehr ausgeprägte Individualisten als Team-Player sind, stehen die Gesprächsfähigkeit und kommunikative Kompetenz von uns Pfarrern auf dem Prüfstand. Hier werden nicht nur die nächsten Programmpunkte besprochen, hier entscheidet sich auch, welche Rolle ich als Pfarrerin in den nächsten Wochen auf dem Schiff haben werde: Werde ich als „graue Kirchenmaus" oder „letztes Rad am Wagen" angesehen oder bin ich in guter Kollegialität mittendrin im Team auf Zeit? Wir beginnen mit der Vorstellungsrunde, beschnuppern uns, und wenn man schon einen oder zwei Leute kennt, freut man sich. An Bord sprechen wir uns grundsätzlich mit Vornamen an, Hoheitsschranken werden an Land abgelegt.

Am ersten Abend beginne ich offensiv, mich als Crewmitglied auf Zeit zu vernetzen. Das ist nicht viel anders als in der Gemeinde, wo wir Pfarrpersonen immer auf der Pirsch sind, ehrenamtlich Mitarbeitende aufzuspüren. Hier an Bord suche ich zunächst meine natürlichen und potenziellen Partner für die Gottesdienste und Andachten während der Kreuzfahrt. Das ist zum einen der Bord- oder Ozeanpianist, das sind zum anderen weitere Musiker oder Sänger, die bereit sind, einen Gottesdienst mit mir zu gestalten: freiwillig morgens um neun Uhr, nach einem langen Showprogramm am Abend zuvor. Das ist schon was, wenn die mitmachen! Diesmal bin ich dankbar, dass der Entertainment-Manager die musikalische Begleitung für den ersten Gottesdienst morgen früh bereits geregelt hat. Dieser erleichterte Einstieg ist ein schönes Willkommensgeschenk. Ich nutze den Abend auch, mich den Veranstaltungstechnikern vorzustellen. Es könnte durchaus sein, dass ich vor Oslo ihre Hilfe brauche bei meinem Bilder-Vortrag über Edvard Munch; denn mit meinem neuen Tablet stehe ich leider immer noch auf Kriegsfuß und mit dem bordeigenen Beamer erst recht. Na ja, und mit dem Aufnahmeleiter für das Bord-TV werde ich sowieso zu tun bekommen, spätestens bei der Studio-Aufnahme für *Das Wort zum Sonntag*. Den Touristik-Manager kenne ich von einer früheren Reise, er soll gerne wissen, dass ich bei Landausflügen zur Begleitung von Gruppen zur Verfügung stehe, Escort nennt man das hier. Da lerne ich viele Gäste kennen und die Gäste mich.

Noch viel wichtiger für meine Arbeit ist jedoch der Kontakt zu den Gästebetreuern. Sie sind meine ersten Ansprechpartner für die seelsorgliche Arbeit. Da sie in der Regel mehrere Monate im Jahr an Bord sind, kennen sie die meisten Gäste mit ihrer persönlichen Geschichte; denn es gibt viele Reisende auf den Kreuzfahrtschiffen, die mehrfach im Jahr eine Tour machen: dasselbe Schiff, dieselbe Kabine, hier fühlt man sich zu Hause, immer willkommen und immer gut betreut. Einmal sagte eine ältere Dame weinend zu mir: „*Ich fahre hier nur mit, weil ich wieder mal gut und vor allem nicht alleine essen möchte.*" Luxus kann ein sehr trauriges Gesicht haben. Wenn meine Kommunikation mit den Gästebetreuern gelingt, erfahre ich rasch, wo es pastoralen Handlungsbedarf gibt. Die Hosts schaffen Wege zum Menschen, und ich freue mich, wenn es uns in einer konzertierten Aktion wieder einmal gelungen ist, Einsame, Traurige oder Trauernde so zu begleiten, dass sie am Ende einer erlebnisreichen Reise mit hellen Gesichtern das Schiff verlassen. Auf den Kreuzfahrtschiffen gibt es fast alles im Überfluss, auch die Not. Die findet man dort, wo eine hungernde Seele darbt.

MEHR AUF DEM
MEER – DEM HIMMEL
EIN STÜCK NÄHER

DIE BORD-GOTTESDIENSTE – „KLEIN UND FEIN" ODER „GROSSE ÜBERRASCHUNG"

Den Pianisten zur musikalischen Begleitung meiner Gottesdienste habe ich zwar gefunden, die Suche geht aber weiter. Gibt es einen Kirchensteward für den Aufbau der Bordkirche oder bin ich meine eigene Küsterin? Wer stellt einen Tischaltar hin? Wo gibt es Kreuz, Kerzen, Kelche, Körbe und Gesangbücher? Gerne hätte ich Blumen auf dem Altar, muss aber vorher noch klären, ob ich überhaupt Kerzen anzünden darf. Offenes Feuer auf dem Schiff ist eine heikle Sache, wird allenfalls erlaubt, wenn man hoch und heilig allergrößte Umsicht gelobt. Und selbst dann nicht immer. Diese und ähnliche kleine Fragen können ganz groß werden. Besonders, wenn man das erste Mal an Bord ist und zwischen Auslaufen des Schiffes und dem Gottesdienst nur wenige Stunden liegen.

Ich erinnere mich an eine wilde Nacht, als sich auf den mittleren Decks die Passagiere im Fußball-WM-Taumel ergingen, während auf einem der oberen Decks der Immer-im-Dienst-Entertainment-Manager die neue Bordgeistliche in die Geheimnisse der Bord-Sakristei einweihte. Der Mann tat mir leid. Aber so geht es nun mal den Leuten, die – umgeben von Luxus – vom Luxus geregelter Arbeitszeiten weit entfernt sind. Ich kenne das gut, schließlich war ich mehr als zwei Jahrzehnte Gemeindepfarrerin.

Nachdem ich alles geklärt habe, könnte ich mich eigentlich zur Nachtruhe begeben. Doch der Schalter im Kopf springt nicht so leicht um. Ich schaue mir noch einmal meine Unterlagen an, schleiche auf Samtpfötchen durch die nächtlichen Gänge zur Kabine des Bordpianisten, schiebe den Ablauf mit Liedangaben unter seiner Kabinentür durch. Ist doch besser, wenn er vorab schon mal einen Blick darauf werfen kann. Alles ist gut vorbereitet. Doch dann machen sie sich in mir breit, die trüben Gedanken: Was ist, wenn am nächsten Morgen niemand zur Andacht kommt? Sei es, weil auch für die Gäste die Nacht sehr kurz war. Sei es, weil die Leute noch nicht in das Tagesprogramm geschaut haben, nicht wissen, dass in der Karibik- oder Pazifik-Lounge, im Belvedere oder wo auch immer die Pfarrerin zur Morgenandacht einlädt. Wenn keiner käme, hätte das zwar nichts mit mir persönlich zu tun, aber irgendwie wäre es doch eine Schlappe, die ich nicht einfach wegstecken könnte. Wer bietet denn schon gerne eine Veranstaltung an, zu der niemand kommt?! Unruhig schlafe ich ein, bin aber schon wieder auf den Beinen, bevor der Wecker klingelt. Kein frühes Frühstück, lieber mich vergewissern, ob auch alles bereitsteht. Die Heinzelmännchen vom Schiff haben ihr Aufbau-Werk vollbracht, ich selbst schleppe die Gesangbücher, das Choralbuch für den Pianisten, stelle Körbchen für die Kollekte zu Gunsten der „Flüchtlingsarbeit der Evangelischen Auslandsberatung e.V." in Hamburg auf. Von irgendwoher „leihe" ich mir ein paar Blumen aus. Ein letzter prüfender Blick, alles stimmt; ich habe noch Zeit für den ersten Cappuccino. Dann warte ich, bis der Pianist auftaucht, stimme mich mit ihm ab und warte wieder: Ob heute wirklich jemand kommt?

In den letzten fünf Minuten vor Andachtsbeginn löst sich meine kleinmütige Sorge in freudige Überraschung auf: Sie erscheinen, die ersten Andachtsbesucher, es kommen mehr und mehr. Immer sind sie gekommen. Auf jedem Schiff, auf jeder Tour. Mal sind es am ersten Morgen nur zwölf Personen, mal 45. An den kirchlichen Feiertagen sowieso mehr. Nach meiner Erfahrung schwankt der Gottesdienstbesuch am ersten Morgen zwischen „klein und fein" und „die große Überraschung". Das ist von Schiff zu Schiff, von Reiseziel zu Reiseziel und damit von Klientel zu Klientel recht unterschiedlich. Einen Grund zur Klage gibt es überhaupt nicht. Ich habe mich immer über den Gottesdienstbesuch gefreut, der zwischen fünf und zehn Prozent der Passagiere auf dem Schiff liegt. Unter den Gästen gibt es viele, die weitaus mehr Kreuzfahrt-Gottesdienst-Erfahrung haben als ich selbst. Ihren Erzählungen höre ich gerne und mit großen Ohren zu. Manchmal bieten Gäste mir an, mich bei meinem morgendlichen Dienst zu unterstützen, und schneller als erwartet habe ich einen ehrenamtlichen Kirchensteward für die Reise. Welche Freude!

Doch zunächst kommen die Besucher. Ich präge mir ihre Gesichter ein, frage nach Namen, vermerke diese in meinem kleinen Reisetagebuch. Und so baut sich Tag um Tag eine Bordgemeinde auf, die erkennbar zu meiner Bekanntheit auf dem Schiff korrespondiert. Die Andachtsgemeinde an Bord stabilisiert sich mit anrührender Verbindlichkeit. Ich habe es erlebt, dass sich Menschen tags zuvor entschuldigten, weil sie wegen einer morgendlichen Geburtstagsfeier im Freundeskreis nicht kommen konnten: *„Aber übermorgen sind wir wieder da ..."* Über den Anfangskontakt entsteht Beziehung, Vertrauen, manchmal sogar über eine Reise hinaus: *„Wann sind Sie wieder auf welchem Schiff?"*, wurde ich schon gefragt oder: *„Sind Sie im nächsten Jahr auf der Nordlandtour auch wieder dabei?"* Eine regelmäßige Gottesdienst-Besucherin bat mich am Ende der Reise um meine Anschrift und schrieb zwei Monate später: *„Ich habe Sie nicht vergessen! Denke jeden Tag an die schöne Schiffsreise, die so oft morgens mit Ihrem schön gestalteten Gottesdienst begann. Ja, es hat mir gut getan, mit den Mitgästen zusammen zu beten und zu singen und so behütet den Tag zu beginnen. Dank an Gott für seine Wohltaten und das Schöne in unserer Welt."* Wie oft ist es überhaupt nicht schön in unserer Welt, denke ich, als ich die Post in Händen halte, sicherlich zieht es gerade deshalb so viele Menschen auf Kreuzfahrt-Reisen, um dem Nicht-Schönen für eine Weile zu entrinnen, um andere Bilder dagegenzusetzen. Ich freue mich über den Brief dieser Frau besonders deshalb, weil sie die als wohltuend erlebte Reise auf dem schönen Schiff mit den schönen

Landschaftserlebnissen nicht einfach nur kauft und konsumiert. Sie drückt ihre Freude über das Erlebte aus, stellt die Reise in einen großen Zusammenhang, indem sie Gott dankt für die Erfahrung eines Mehr auf dem Meer, das sie im gemeinschaftlichen Erleben dem Himmel ein Stück näher gebracht hat.

SEHNSUCHT NACH GEBORGENHEIT

MIT PSALM 23
AUF GROSSEM WASSER

Die Kreuzfahrt-Branche boomt wie keine andere Sparte des Tourismus. Die Erwartungen der Passagiere an eine Schiffsreise sind so unterschiedlich wie die Gäste selbst. Eine immer wiederkehrende Begründung, warum sich Menschen für eine Kreuzfahrt entscheiden, ist nach meiner Erfahrung: die Sehnsucht nach Geborgenheit. Geborgenheit findet man weniger auf den großen bis riesigen Linern, die haben eher den Charakter schwimmender Hotels. Aber die kleinen bis kleineren Schiffe der Reedereien, die sich sogar Bordgeistliche leisten, die sind auf diese Sehnsucht nach Geborgenheit eingestellt.

„Willkommen zu Hause" lädt ein hölzernes, messingbeschlagenes Steuerrad an der Gangway eines Schiffes seine Passagiere beim Boarding und nach jedem Landgang ein. „Willkommen zu Hause" tut gut, an Bord ist man geborgen. Auf einem anderen Schiff wird Familiarität betont, der Anspruch auf vielfältige Weise eingelöst. Viele Gäste buchen mehrmals im Jahr eine Reise, wohnen immer in derselben Kabine. Sie sind mit Namen und persönlicher Geschichte bekannt, werden begleitet und fast rund um die Uhr aufmerksam umsorgt. Hier fühlt man sich wohl und geborgen, oft mehr als zu Hause an Land. Wir Bordgeistlichen gehören während der Zeit einer Schiffsreise zu den Gastgebern, sind Seelsorgerinnen, Begleiter auf See und bei den Landausflügen. Wir sind da, hören und antworten, sprechen und laden zu Gottesdiensten in unsere Bordkirche ein.

Auch die Bordkirche kann auf der Kreuzfahrt zu einem Ort der Geborgenheit werden. Wie kann man sich die Bordkirche vorstellen? Eigentlich ist sie keine Kirche, und sie ist es doch. Meist liegt sie auf einem der höheren Decks, ist ein relativ großer Veranstaltungsraum, Panorama-Lounge mit grandiosem Blick über das Meer und die vorbeiziehende Landschaft. Tagsüber und abends lädt diese Lounge zu gymnastischen Übungen, Lesungen, zur Teatime oder zum Aperitif mit leichter Musik am Flügel ein. Aber frühmorgens, da wird der Veranstaltungsraum zur Kirche: Ein Tisch mit weißer Decke wird zum Altar. Auf diesem Altar stehen ein Kruzifix, Blumen und je nach Schiff auch Kerzen. Der Flügel wird zur Orgel, ein Notenständer zum Lesepult, zum Halbkreis formierte Sesselchen werden zu Kirchenbänken. Auf dem Schiff, da weht ein anderer Wind: Der Sonntagsgottesdienst kann auch schon einmal am Samstag oder am Montag stattfinden, das hängt von Seetagen oder Landgängen ab.

Was aber bringt die Passagiere dazu, einen Bordgottesdienst zu besuchen? Natürlich hat das sehr unterschiedliche Gründe, die ich nicht alle kenne, aber einige sind deutlich und immer wiederkehrend. Einen Schiffs-Gottesdienst zu besuchen, kann bedeuten: das zu tun, was man zu Hause auch tut, nämlich zum Gottesdienst in die zu Kirche zu gehen. Immer wieder habe ich gehört, dass sich Gäste darüber freuen, auch religiös-kirchliche Angebote auf dem Luxus-Liner vorzufinden. Nicht nur Unterhaltung, sondern auch Tiefe und Reflexion suchen die Menschen auf den Kreuzfahrtschiffen, auf denen ich bisher Dienst getan habe.

Einen Schiffs-Gottesdienst zu besuchen, kann aber auch bedeuten: das zu tun, was man zu Hause *nicht* tut. Obwohl man dort nicht in die Kirche geht, möchte man hier doch mal hören, was die Pfarrerin zu sagen hat. Einen Schiffs-Gottesdienst zu besuchen, kann auch noch bedeuten: in der Bordkirche die Geborgenheit zu suchen, die bisher auf der Reise noch fehlte.

Ich erinnere mich an einen Gottesdienst: Eine ganze Weile nach Beginn merke ich, dass sich jemand von hinten in die Bordkirche reinschleicht, aber nicht im Kreis der andächtig Versammelten auftaucht. Eine etwas irritierende Situation, jemanden im Rücken zu spüren. Als sich eine Gelegenheit bietet, hinzusehen, nehme ich wahr, dass an der Wandseite des Raums ein älterer Mann Platz genommen hat. Er lässt keine nonverbale Kommunikation zu und verschwindet so heimlich, wie er erschienen ist. „Alles in Ordnung, das ist seine Freiheit", denke ich: kommen, gucken, hören und verschwinden ... Am nächsten Morgen taucht dieser Mann wieder auf, wieder nach Andachtsbeginn, aber diesmal kommt er näher, lehnt den ihm angebotenen Platz in der Andachtsrunde jedoch ab. In die zweite Reihe setzt er sich – immerhin. Nach dem Segen huscht er aber wieder ganz schnell weg. Ein paar Tage später begegne ich ihm beim Pool, traue mich, ihn anzusprechen. Da ist er gar nicht distanziert, im Gegenteil, er freut sich, dass ich das Gespräch mit ihm suche. Dabei erzählt er mir vom Verlust seiner Frau wenige Monate zuvor. Bei der Trauerfeier hätten sie *Großer Gott, wir loben dich* gesungen. Nun habe er beschlossen, eine Kreuzfahrt zu machen, so wie sie es früher zu zweit getan hätten. Traurig natürlich, weil eine Hälfte von ihm fehlt … Vorsichtig habe er sich am ersten Morgen der Bordkirche genähert. Als er die Bordgemeinde diesen Choral habe singen hören, da sei der Abschiedsgottesdienst für seine Frau ganz präsent in ihm gewesen. Auf einmal habe er sich in der Bordkirche richtig geborgen gefühlt und beschlossen, am nächsten Morgen wiederzukommen. Er kam nicht nur am nächsten Morgen, er kam zu jeder Andacht, zu jedem Gottesdienst und saß mittendrin in der singenden und betenden Bordgemeinde, auch, als ich die Morgenandacht zu Psalm 23 hielt.

Liebe Bordgemeinde!
Befreit von allen Mühen des Alltags werden wir Tag für Tag umsorgt, verwöhnt und beglückt mit ebenso spannenden wie vielfältigen Eindrücken. Unsere Reise ist ein Aufbruch vom Alltäglichen zum Besonderen. Manche von uns haben die Erwartung, dass diese Reisetage mit zu den schönsten des Jahres werden, andere sind voller

Sehnsucht nach Geborgenheit, hoffen auf Tage der Begegnung mit anderen Menschen, auf glückliche Tage in guter Gemeinschaft. Wir sind auf diesem Schiff zusammengekommen, jede und jeder mit unserer je eigenen Geschichte. Gerne möchten wir auf dieser Schiffstour den Teil unserer Geschichte hinter uns lassen, der uns bedrückt: Auf zu neuen Häfen, auf zu neuen Eindrücken! Genau das wird uns aber nicht immer gelingen, wir haben sie alle im Gepäck, die schönen wie die schweren Erfahrungen der hinter uns liegenden Zeiten.

„Der Herr ist mein Hirte, mir wird nichts mangeln. Er weidet mich auf einer grünen Aue und führet mich zum frischen Wasser." Hier spricht ein Mensch mit Zuversicht, fühlt sich in der Tiefe der Seele geborgen, weiß von grünen Auen und frischen Wassern. Hier spricht jemand mit Gottvertrauen. Ohne Sie alle mit ihren Lebensgeschichten zu kennen, bin ich doch sicher, dass die meisten von ihnen in der Vergangenheit auf grünen Auen geweidet, frisches Wasser getrunken haben. Aber ebenso sicher bin ich, dass es viel von dem anderen gibt in unser aller Leben. Mal mehr, mal weniger, manches ahne ich, manches weiß ich. Und nicht zuletzt: Weil Leben so ist, wie es ist, ist es schön und schwer.

„Frisches Wasser" kann diese Reise auf dem großen Wasser für Sie bedeuten. Es ist eine Reise, die Freude macht, Geborgenheit schenkt und Kraft gibt zu neuem Leben. „Und ob ich schon wanderte im finsteren Tal, fürchte ich kein Unglück; denn du bist bei mir, dein Stecken und Stab trösten mich." Es ist zunächst der

Beter des Psalms, der so vertrauensvoll zu Gott spricht. Sein Gottvertrauen wird zu unserem, wenn wir heute mit den Worten dieses uralten Gebets beten „... denn du bist bei mir ...". Jede und jeder von uns braucht und hat solche Du's: Menschen, die einen in schweren Zeiten begleitet haben, Menschen, die verlässlich an unserer Seite sind. Manche Menschen sind wie Spuren Gottes in unserem Leben: in der Familie, Freunde und Freundinnen, Wegbegleiter, Partnerinnen und Partner. Menschen können eine bestimmte Lebensphase oder für ein ganzes Leben lang „Stecken und Stab" sein, manchmal auch nur für eine kurze Zeit, vielleicht nur eine Schiffsreise lang ...

Für Sie, für uns alle, hoffe und wünsche ich, dass etwas von „Stecken und Stab" in diesen Tagen, auf See wie an Land, spürbar wird. Von morgens bis abends umsorgt, verwöhnt und beglückt dürfen wir auf satten, grünen Auen weiden, bekommen wir viel frisches Wasser zu trinken. Mögen die noch vor uns liegenden Tage für jede und jeden von uns wohltuende Gemeinschaft bereithalten, damit wir unsere Traurigkeit hinter uns lassen, unsere Sorgen in Gottes Hände legen und neue Kraft gewinnen können. Schöne und interessante Reiseziele liegen noch vor uns ... und immer wieder aufs Neue ein üppig gedeckter Tisch. So wie es in Psalm 23 heißt: „Du bereitest vor mir einen Tisch ... Du salbst mein Haupt mit Öl und schenkst mir voll ein." Wir danken Gott dafür. Amen.

Auf meinen Kreuzfahrtreisen habe ich gelernt, dass die Gäste, die an den Bord-Gottesdiensten teilnehmen, nicht zwingend die sind, die Seelsorge wünschen oder brauchen. Diese Gleichung geht nicht einfach auf. Oft habe ich auf dem Schiff Menschen intensiv seelsorglich begleitet, die nie und nimmer in die Bordkirche gekommen wären. Wer was braucht und sucht, weiß man am Anfang nie, das herauszufinden bleibt für mich eine immer wieder aufs Neue herausfordernde Aufgabe.

PRÄSENZ AN DECK
IST DAS A UND O

SEELSORGEGESPRÄCHE
AN DER RELING

Je nach Schiff variierend ist mein Arbeitsplatz etwa 200 Meter lang, 25 Meter breit, hat sieben oder acht Passagierdecks mit Kapazitäten zwischen 400 und 800 Gästen. Die maximale Passagierzahl wird wegen vieler Einzelbelegungen durch Alleinreisende aber selten erreicht. So gibt es schön viel Platz für die Gäste, *das* ist der absolute Luxus, nicht das Glas Schampus zur Begrüßung. Die Reisenden finden auf ihrem Schiff eine Rundum-Promenade, zwei oder mehr Restaurants, dazu eine Disco, Bars, Bibliothek und Bordkino, Show- und Theaterlounge, Pools, Spa und Sauna, Fitness-Center und Golfgreen, Shopping und Internet-Café – alles, was das Urlauberherz begehrt.

Und geht es dem Herzen (physisch) mal nicht gut, dann steht ein Bordarzt mit Krankenschwester im Hospital zur raschen Hilfe bereit. Geht es dem Herzen (psychisch) nicht gut, dann ist die Bordgeistliche auf allen Decks unterwegs, manchmal auch am Pool. Der Pool ist für mich ein Ort zum Plaudern: Präsenz am Pool schafft viele Kontakte. Schwimmen, Saunen, Sonnenliegen sind für mich tabu.

Heute ist wieder so ein Non-Stop-Tag: In der Frühe Aufbau meiner Bordkirche, Gottesdienst, Abbau, Gesangbücher verstauen. Kleines, schnelles Frühstück. Dann nichts wie los zum Single-Treff. Eine gute Veranstaltung zu Beginn jeder Reise. Der

Kreuzfahrt-Direktor lädt ein, die Hostessen und der Host stellen sich vor, und ich bin auch dabei. Ich lerne viele der allein reisenden Gäste kennen und sie mich auch. Was für eine Überraschung, diese weißhaarige Dame kenne ich doch ... Wie war doch noch ihr Name? Ich linse in mein kleines Bord-Notizbuch, das auch Namen, Orte, Gesprächsnotizen früherer Reisen für mich bereithält. Klar, sie war im vorigen Jahr auf der Nordlandreise, und ich habe viel Zeit mit ihr verbracht. Ob sie öfter auf dem Schiff ist? Ist sie nicht, es ist ein absoluter Zufall, dass wir uns heute auf dem Weg nach Sizilien wieder treffen. Wir plaudern, verabreden uns zum abendlichen Dinner. Das ist gut für sie, sie tut sich schwer, Kontakte aufzubauen. Da komme ich gerade recht, ihre Einsamkeit aufzubrechen. Ihre Probleme sind dieselben geblieben. Seit dem vergangenen Jahr hat sich nichts verändert, und ich ahne, es wird sich auch nichts mehr ändern, dazu ist sie irgendwie auch zu eigentümlich. Umso wichtiger, dass sie von Zeit zu Zeit solche Reisen unternimmt, unter Leute kommt, auf dem Schiff Begleitung erfährt, zwei Wochen lang für sich die Sonne leuchten sieht. Wenn sie auf dem Schiff nicht alleine bleibt, wird für diese Frau die Reise ein kleines Tor zur Welt. Ja, ich bin für sie da, spüre aber die Gefahr, von ihr vereinnahmt zu werden. Ihr Hunger nach Gesellschaft und vertraulichen Gesprächen ist riesig. Ohne Abgrenzung *hier* würde ich anderen Gästen *dort* nicht gerecht.

Beim Single-Treff lerne ich weitere Gäste kennen, Small-Talk hier, Small-Talk da und die immer wiederkehrende Frage: *„Woher kommen Sie?"* Naivnett die Freude, wenn sich heimatliche Anknüpfungspunkte auftun. Ich begegne einer Frau, die mir offen, aber unaufgeregt ihre schwierige Lebensgeschichte erzählt. Zunächst wirkt sie etwas verschlossen, und ich staune, wie rasch sie sich im Gespräch öffnet. Sicher habe ich bei ihr einen Pfarrer-Bonus, ebenso spielt die Situation der punktuellen Begegnung auf dem Schiff und fern der Heimat eine Rolle. Hier ist es leichter, über private Dinge zu sprechen, man weiß genau, nach zwei Wochen wird man sich verabschieden. Nein, einsam ist sie nicht. Sie singt in einem Chor und unternimmt viel. Für diese Reise hat sie lange gespart, eine besondere Kreuzfahrt war immer schon ihr Traum. Den hat sie sich nun erfüllt. Unser gutes Gespräch wirkt die ganze Reise lang. Immer wieder plaudern wir miteinander, kürzer oder länger, und sie besucht jeden meiner Gottesdienste.

Nach dem Single-Treff laufe ich zur Touristik, das ist das Bordreisebüro, um ein paar Dinge abzusprechen. Ich bin morgen für die Begleitung einer Gruppe beim Landgang eingeteilt: Der Ätna ruft. Beim Mittagsimbiss oben im Restaurant auf der Heckterrasse sehe ich den Mann, der mir schon bei der ersten Andacht aufgefallen ist. Er wirkte auf mich präsent und distanziert zugleich. Ich setze mich zu ihm, wir plaudern beim Essen über Gott und die Welt, anschließend promenieren und plaudern wir weiter, stehen an der Reling, dieser Grenze zwischen Schiff und Wasser. Hier kann man den Blick schweifen lassen, die Reling stützt und stärkt und bewahrt vor dem Absturz. Das tun manche Gespräche auch. Was ich an diesem Tag und an dieser Reling erfahren habe, bleibt in mir bewahrt, und ich denke: *„Diese Katastrophen sind zu viel für einen Menschen, woher nimmt er die Kraft, weiterzuleben?!"* Mein Gesprächspartner ist nicht larmoyant, aber es tut ihm gut, seine Geschichte zu erzählen. Ein paar Tage später treffen wir uns kurz vor Mitternacht in einer dieser Schiffsbars. Die Bordband beglückt uns mit Oldies aus den Sechzigern, doch das stört nicht weiter. Wir können leicht an unsere frühere Kommunikation anknüpfen, sind miteinander gut und für ihn wohltuend im Gespräch.

Fast alle Tage an Bord sind proppenvoll von früh bis in die Nacht. So geht es zum Beispiel nach dem Reling-Gespräch weiter: Schnell in die Kabine, umziehen, los zu den im Tagesprogramm angekündigten Teatime-Gesprächen mit der Bordgeistlichen. Da ist meine Präsenz gefragt und auch anschließend bei der Vernissage in der unglaublich schönen Galerie, deren Fenster bis zum Boden reichen und den Blick auf das Meer und die vorbeiziehenden Wellen freigeben. Auf einer früheren Reise habe ich von dort einen schwimmenden Elch im Wasser gesehen. An Bord sind mein Notizbuch und mein Stift meine ständigen Begleiter, damit auch nichts verlorengeht.

Auch beim anschließenden Kapitäns-Empfang, der Offiziers-Vorstellung und beim Dinner. Die Restaurantchefin und ihr Stellvertreter kennen mich schon und platzieren mich gerne zu Menschen, die an einem Zweiertisch allein sitzen. Nach dem Essen kommt die Gala der Künstler und irgendwann zu später Stunde die Nachtruhe. Puh, das war wieder ein Tag ... Morgen früh geht es gleich weiter als Escort auf den grollenden und spuckenden Berg, zum Silvester-Krater und nach Taormina.

Kaum jemand kann sich vorstellen, was eine Pfarrerin auf einem Kreuzfahrtschiff macht. *„Die macht da doch nur Urlaub"*, habe ich mir schon sagen lassen. Wenn das Urlaub ist? Immer im Dienst, immer gesprächsbereit, immer unter dem Blick der Bord-Öffentlichkeit stehen, Gottesdienste, Andachten, Vorträge halten, Landgänge begleiten, zur Seelsorge bereit sein und immer wieder Präsenz zeigen. Bordgeistliche stehen für die Institution Kirche, für die Evangelische Kirche oder die Katholische Kirche, die sie auf die Kreuzfahrtschiffe entsendet und für diese Arbeit beauftragt. Bordseelsorge ist eine Spezialform von Urlauberseelsorge. Eine sehr interessante und bereichernde Arbeit, die ich ehrenamtlich gerne tue. Aber es ist Arbeit – kein Müßiggang.

ABWARTEN UND
TEE TRINKEN

BEGEGNUNGEN UND VERGEGNUNG ZUR TEATIME

Im Tagesprogramm lese ich – und mit mir
Hunderte von Kreuzfahrt-Touristen:
16.00 – 17.00 TEATIME-GESPRÄCHE

*Unsere Bordgeistliche Katharina Plehn-Martins freut
sich während der Teatime an Bord auf anregende,
herzliche und gerne auch einmal privatere Gespräche
mit Ihnen. Ob lockere Plauderei, ein Gespräch über
Herzensangelegenheiten oder ein Rat zu Lebensfragen
– sprechen Sie Katharina Plehn-Martins im Club Belvedere einfach an, gerne vereinbart sie mit Ihnen auch ein
Gespräch unter vier Augen.*

Schock! Was für eine Ankündigung ... Wie soll
denn das gehen? Vor meinem inneren Auge entsteht
das Bild einer Pfarrerin, mit einer Teetasse allein an
einem Tisch sitzend, ein Alibi-Buch bei sich und darauf wartend, dass jemand sich zu ihr setzt, um mit
ihr zu sprechen, Rat zu erbitten. Wie peinlich, an-
kommenden Gästen entgegenzublicken in der Hoffnung, dass sich jemand erbarmt und mit der Bordgeistlichen ernst, locker oder lustig plaudert ...
Leider ist das nicht nur ein Bild, die Pfarrerin bin
ich! Ich stelle mir weiter vor, dass niemand sich zu
mir setzt. Was dann? Lese ich in meinem Buch,
rühre ich in meiner Teetasse rum, starre ich Löcher
in die Luft oder lächle ich einladend in den Raum?
Ich sehe mich auf einem Präsentierteller, niemand

will mit mir sprechen, und es wird augenfällig: Seelsorge wird nicht gebraucht, ist überflüssig hier auf dem Schiff. Jemand von der Crew hatte mir schon erzählt: *„Ja, die Pfarrer setzen sich hin und warten, bis jemand kommt ..."* Ich ... warten bis jemand kommt ... Mir wird heiß und kalt. Das kann nicht meine Rolle sein, Tee trinkend abzuwarten und schlimmstenfalls die eigene Überflüssigkeit zur Schau zu stellen. Ich muss mir etwas einfallen lassen.

Es gibt doch in der Praktischen Theologie diese Rede von „Komm-Struktur" und „Geh-Struktur". Das ist meine Lösung und heißt hier zur Teatime auf dem schönen Schiff: nicht warten, bis jemand kommt, sondern gehen, zu den Gästen an den Tisch gehen. Gedacht, getan.

Rechtzeitig bei der ersten Teatime überblicke ich mit Späherblick den weiten Raum auf der Suche nach jemandem, der oder die einsam und allein an einem Tisch sitzt. Da, die Dame dort, die sieht einsam aus, die braucht bestimmt empathische Begleitung durch die Bordgeistliche. Ich gehe zu ihr und frage, ob es ihr recht sei, wenn ich mich zu ihr setze. *„Gerne"*, antwortet sie, *„nehmen Sie Platz."* Puh, geschafft. Ich erlebe diese Situation als Gratwanderung. Woher soll ich wissen, ob Alleinreisende sich gerade nach einer Pfarrperson sehnen, eher den Kontakt zu Mitreisenden wünschen oder auch gerne allein und bei sich selbst sind? Mich den Passagieren aufzudrängen, kann nicht meine Aufgabe sein, mich schüchtern zu verstecken aber auch nicht. Jedenfalls nehme ich erst einmal Platz, während der Mann der „einsamen" Frau, zwei Kuchenteller balancierend, den Tisch erreicht. Haltung bewahren, locker bleiben, sich plaudernd zu dritt kennenlernen. Bis zum Ende der 21-tägigen Reise waren dieses Ehepaar und ich in bestem, vertrauensvollem Kontakt. Es war anrührend zu hören, wie sehr sie als ehemalige Bürger der DDR nach den Jahrzehnten aufgezwungener Enthaltsamkeit diese Schiffsreisen genießen und die Welt entdecken. Offen sprachen wir miteinander über unsere unterschiedlichen Lebenserfahrungen als Ossis und Wessis. Das Paar kam zu allen Morgenandachten und Gottesdiensten, wenn wir uns begegneten, gab cs Small-Talk oder Long-Talk. Am Ende der Reise haben wir uns herzlich voneinander verabschiedet in der Hoffnung, uns auf einer anderen Schiffsreise einmal wiederzutreffen.

Mit dieser spannenden Erfahrung hatte ich meine Teatime-Rolle gefunden, nahm sie mit wenigen Ausnahmen täglich wahr. Mal saß ich hier, mal saß ich dort und erlebte unglaublich viele *„anregende, herzliche und ... auch ... privatere Gespräche"*. Der Entertainment-Manager, der diesen Einladungstext in das Tagesprogramm gesetzt und mir damit zunächst einen kleinen Schock versetzt hatte, hatte es goldrichtig gemacht. Am Ende der Reise beschlich mich sogar das Gefühl, nicht allen Gästen, die sich eine lockere Begegnung zur Teatime gewünscht hätten, gerecht geworden zu sein. Dazu hätte die Kreuzfahrt doppelt so lang sein müssen. Von meiner Aufgabe als Bordgeistliche her betrachtet sind Teatime-Gespräche ein niederschwelliges Angebot, das nach meinen Erfahrungen zu tiefgehender Seelsorge führen kann. Entscheidend ist, dass ich als Pfarrerin auf die Menschen zugehe und nicht warte, bis die Menschen zu mir kommen. Gibt es erst einmal einen Kontakt, dann ist es leicht, anzuknüpfen, und es kann zu wirklich guten Begegnungen kommen.

An eine „Vergegnung" erinnere ich mich allerdings auch, erlebt auf einer Reise zum Nordkap. An einem sonnigen Nachmittag sitze ich kurz vor Beginn der Teatime im Club Belvedere, es ist noch sehr ruhig, der Ozeanpianist setzt sich an den Flügel, da kommt ein großer Mann mit eisgrauem Bart zu mir und fragt: „Sie sind doch ...?" „Ja, die bin ich, die Bordgeistliche." Auffallend vergnügt setzt er sich zu mir, wir beginnen ein Gespräch und sind etwas später bei Himbeertorte und Cappuccino bei unseren Familienverhältnissen. Klar, so steht es ja im Tagesprogramm: „Ob lockere Plauderei, ein Gespräch über Herzensangelegenheiten oder ein Rat zu Lebensfragen ..." Warum sollte ich da verschweigen, dass mein Mann meine temporäre Arbeit an Bord durchaus würdigt, mich aber wohl nie auf ein Kreuzfahrtschiff begleiten würde und sich auf meine Rückkehr nach Berlin freut. Wir sind in norwegischen Gewässern unterwegs, das Schiff fährt durch den Geiranger Fjord und passiert die – je nach Jahreszeit mal mehr oder mal weniger – spektakulären Wasserfälle der sieben Schwestern. Viele Gäste stehen draußen an der Reling und betrachten die traumhafte Landschaft. Unvermittelt ermuntert mich mein Gesprächspartner mehrfach, doch ruhig wie die anderen Passagiere nach draußen zu gehen. Einen Moment überlege ich, ob ich unaufmerksam mit ihm gesprochen, zu oft einen Blick nach draußen in die Sehnsuchtslandschaft geworfen habe oder ob er halbwegs elegant unser Gespräch beenden möchte. So gehe ich raus, freue mich an der Fjordlandschaft. Als ich wieder hereinkomme, sehe ich seine leere Tasse auf dem Tisch, die köstliche Himbeertorte hat er weggeputzt und sich selbst in Luft aufgelöst. Ich gebe zu, ein wenig amüsiert überlegt zu haben, was wohl der Grund für sein plötzliches Verschwinden gewesen sein mag. Vielleicht unterschiedliche Vorstellungen von „pastoraler Begleitung"? Ich werde es nie erfahren. Eine Stunde später treffen wir uns irgendwo auf den Gängen des Schiffes, lachen beide ohne Worte. Auf einem kleinen Kreuzfahrtschiff kann man sich nicht aus dem Weg gehen. Wir treffen uns wieder und wieder, die „Vergegnung" ist perfekt: Wir haben uns nie erkennbar wahrgenommen, nie miteinander gesprochen, wir sehen uns einfach nicht ... und das ist gut so!

LAND IN SICHT
HEISST ZITTERN
UND ZÄHLEN

DIE BORDGEISTLICHE ARBEITET AUCH ALS ESCORT

Ein Lollipop gehört zur Grundausstattung der Bordgeistlichen, wenn sie sich zur Begleitung auf Landgängen, dem Escort, bereit erklärt hat. Dieser Lollipop ist allerdings kein bunter Fruchtlutscher am Stiel, sondern ein kräftiger Holzstab, an dem oben eine Scheibe mit einer großen Zahl befestigt ist. Den hält sie zur Orientierung einer Ausflugsgruppe immer schön hoch und schreitet vor den Ausflüglern her, damit die auch den richtigen Bus finden. Der Lollipop ist also ein Arbeitsmittel nicht nur für Reiseleiter, sondern auch für die Bordgeistlichen im Landgangs-Einsatz. Dazu bin ich neben Gottesdiensten, Andachten, Andachten über Bord-TV, Vorträgen im Rahmen des offiziellen Bordprogramms und seelsorglichen Gesprächen per *„Dienstanweisung für die Tätigkeit als Seelsorger an Bord eines Kreuzfahrtschiffes"* durch die *Evangelische Kirche in Deutschland* beauftragt. Escort betrachte ich selbst von drei Seiten: Soll- und Haben- und dazu die immer wieder spannende Zählen-und-Zittern-Seite. Mit Soll-Seite meine ich den klar umrissenen Arbeitsauftrag seitens des Bordreisebüros, der Touristik. Dort melde ich zu Beginn der Kreuzfahrt meine Bereitschaft zum Dienst an, von dort werde ich als Escort eingesetzt. Ich bekomme einen zeitlichen Ablaufplan für den Landausflug, erfahre, wann ich wo zu erscheinen habe, was mitzunehmen ist, Headsets und Safety-Kit (erste Hilfe-Ausrüstung). Ich erfahre den Namen des örtlichen Reiseleiters, meine Busnummer und bekomme eben diesen Lollipop. Habe ich meinen Bus erreicht und den örtlichen Reiseleiter gefunden, bin ich erst einmal froh, den Lollipop wieder loszuwerden. Den trägt ab jetzt er! Zugegeben, mit einem Lollipop durch die Gegend zu ziehen, gehört nicht zu meinen Lieblingstätigkeiten, doch mit Humor geht vieles. Nun sammle ich die Tickets der Gäste ein, zähle die Mitfahrenden beim Einsteigen, und es kann losgehen. Über das Busmikrofon stelle ich den Reiseleiter, den Busfahrer und mich vor und wünsche uns allen eine gute Fahrt. Jetzt ist der Reiseleiter dran. Nach dieser Prozedur kennen mich die Leute und wissen: „Ah, das ist die Pfarrerin, die Bordgeistliche ...“. Genau das ist der Sinn dieser Übung, Ausflüge als Gelegenheit zu nutzen, sich bei den Passagieren bekanntzumachen. Zu meinen Aufgaben gehört manches, über das sich die Gäste oft wundern: Die Pfarrerin führt zum Bus, sammelt die Tickets ein, verteilt Wasserflaschen und Headsets, hilft Älteren oder Menschen mit einer Behinderung beim Ein- und Aussteigen, achtet darauf, dass der Zeitplan eingehalten wird, und protokolliert den Verlauf des Landganges. Nach mehr als 20 Jahren Pfarrdienst in einer Gemeinde ist das für mich zwar kein Problem, aber anstrengend kann es schon werden und ist nicht immer ein Vergnügen. So viel zur Soll-Seite.

Nun kommt die Haben-Seite: Landgänge zu begleiten, bedeutet für mich, Orte und Städte zu sehen, die ich sonst nicht sehen würde. Landgänge zu begleiten, bedeutet für mich aber auch, viele Menschen vom Schiff kennenzulernen. Gerne erinnere ich mich an manche interessanten Begegnungen, erfreuliche und vergnügliche Gespräche. An Herausforderungen erinnere ich mich aber auch.

Eine Herausforderung bei den Landgängen ist das Zählen, ein immer wiederkehrendes Procedere, das einen schon mal das Zittern lehren kann. Nach jeder Pause, nach jeder Besichtigung, nach jedem Fotostopp müssen die Häupter aller Lieben gezählt werden, damit auch keines verlorengehe. Das gilt natürlich auch während der Besichtigungen, der Herausforderung per excellence für den Escort. Ich kenne keine Reisegruppe, die Händchen haltend in Zweierreihen durch Städte oder Museen läuft: Einer läuft dorthin, die andere dahin, viele sehen viele Fotomotive an verschiedenen Orten, die Lauf-Tempi der Gäste sind sehr unterschiedlich. Es ist ein Privileg der Gäste, sich nicht um den Zusammenhalt der Gruppe kümmern zu müssen, diese Aufgabe kommt dem Escort zu. Zählen, zählen, zählen …

Ich erinnere mich an eine groteske Situation mit Giovanni, einem italienischen Reiseleiter. Ein baumlanger Mann, der munter palaverte, sich aber so gut wie nicht um die Gruppe kümmerte. Er rannte einfach los, egal, ob alle beieinander waren oder nicht. Keine leichte Sache in unübersichtlichen Museumsräumen, in denen man flott ein paar Leute verlieren kann. Das darf nicht passieren. Also muss man zählen. Der baumlange Reiseleiter rennt und redet, die kleine Pfarrerin strengt sich an, die Leute beieinander zu halten, bis es ihr zu bunt wird und sie ihn bittet, doch mal stehen zu bleiben und aus seiner Höhenperspektive zu zählen, ob auch wirklich alle da sind. Er stockt, hält inne und beginnt zu zählen. Währenddessen bleiben die Leute natürlich nicht ruhig stehen, sie bewegen sich hin, sie bewegen sich her. Wer je zählen musste, weiß, wie schweißtreibend das sein kann. Giovanni, der Baumlange mit dem von Natur aus gegebenen Überblick, zählt etwa bis zur Mitte der Personenzahl, dann wird es ihm zu anstrengend, und er hört auf. Er wendet sich der kleinen Pfarrerin zu, die nicht annähernd seinen Überblick haben kann, und sagt in auffordernd-vorwurfsvollem Ton: *„Man muss die Leute zählen!"* Die Umstehenden, die das Groteske dieser Situation mitbekommen haben, lachen laut auf. Nun denn, die Escort-Pfarrerin protokolliert und gibt am Ende des Ausflugs eine schriftliche Einschätzung zum örtlichen Reiseleiter ab.

Unvergessen bleibt mir auch ein Ausflug von Civitavecchia in das 69 km südlich gelegene Rom, auf dem zwei ältere Herren verlorengingen. Ein erlebnisreicher Tagesausflug lag hinter uns. Der Bus brachte die 25 Kreuzfahrt-Touristen zurück zum Hafen von Civitavecchia. Wenige hundert Meter vor dem Schiff sahen wir Fischer bei der Flickarbeit an riesigen Netzen, ein Bild, das man nicht täglich zu sehen bekommt. Die Ausflügler wünschten noch einen letzten Fotostopp. Na klar, alle aussteigen, zehn Minuten Zeit zum Fotografieren, und dann geht's direkt zur Gangway. Ich blieb im Bus und sortierte schon die Headsets wieder ein, wir waren ja so gut wie „zu Hause". Und genau da passierte es: Ich habe nicht mehr gezählt. Der Gedanke, dass in dieser Situation noch jemand verlorengehen könnte, überstieg meine Vorstellungskraft. Wieder auf dem Schiff angekommen, erfuhr ich von Mitarbeitern der Crew, dass zwei Herren nicht mit dem Bus, sondern zu Fuß zurückgekommen und ziemlich empört gewesen seien. Ich hatte davon überhaupt nichts mitbekommen, doch mir war klar: Es war einzig und allein meine Schuld! Ich hätte auch beim kleinen Fotostopp in unmittelbarer Nähe unseres Kreuzfahrtschiffes zählen müssen. Passiert ist passiert, ich war froh, dass so etwas nicht in der Heiligen Stadt geschehen war. Stunden später suchte ich die beiden Herren, fand sie in einer Bordbar und entschuldigte mich in aller Form bei ihnen. Ihre, wie ich erfahren hatte, bereits abgeklungene Empörung über mein Fehlverhalten flammte erneut auf, ich durfte mir einiges an Vorwürfen anhören, die in der Bemerkung gipfelten: *„Und sowas passiert einer Pastorin!"* Ich entschuldigte mich ein weiteres Mal, trat den Rückzug an und dachte kopfschüttelnd: *„Dem guten Hirten aus dem Lukas-Evangelium wäre das nicht passiert!"*

SCHÄTZE SAMMELN
MIT FREDERICK

Das Wort zum Sonntag gibt es nicht nur traditionsgemäß am Samstagabend nach den Tagesthemen, sondern auch auf manchen Kreuzfahrtschiffen. Dort kann es auch zum *Wort am Sonntag* werden, je nachdem, wo das Schiff sich gerade befindet. *Das Wort zum Sonntag* schließt sich an die Abendsendung des Kreuzfahrtdirektors an und wird wie diese in einer Endlosschleife vom Bordfernsehen übertragen. Eine gute Tradition an Bord. Drei Minuten sollen es nur sein, knapp, nicht kirchlich binnenorientiert, sondern ein Beitrag, der auch Menschen anspricht, die zu den kirchlich Distanzierten gehören. Die Vorgabe ist: nicht biblisch grundiert, erst recht nicht dogmatisch oder gar fromm gehalten. Durch meine frühere Gemeindearbeit habe ich reichlich Medienerfahrung, habe viele Jahre Rundfunkgottesdienste gehalten, mal einen von der ARD übertragenen Fernsehgottesdienst, Features über die Gemeindearbeit ins Fernsehen gebracht und zuletzt mit dem rbb (Rundfunk Berlin-Brandenburg) *„Segen auf See"*, einen Film über meine Arbeit als Bordgeistliche gedreht. Medienarbeit ist mir also einerseits vertraut, andererseits war ich vor dem ersten *Wort zum Sonntag* im Bord-TV unsicher, wie ich dieses Wort thematisch angehen sollte in Blick auf eine absolut heterogene Hörerschaft, die ich noch nicht so recht einschätzen konnte. Wohl war mir klar: Es sollte die

Menschen ansprechen mit ihren persönlichen Erfahrungen in ihrer derzeitigen Situation. Die Motivation, eine Kreuzfahrt zu unternehmen, ist so unterschiedlich, wie die Menschen selbst es sind. Und doch gibt es eine große Schnittmenge von Begründungen, die Leute auf ein Schiff bringen. Auf den Schiffen, auf denen ich bisher gearbeitet habe, waren viele ältere Gäste: Passagiere mit Gehbehinderungen, manche mit Rollator und Rollstuhl. Aber auch viele von denen, die besser zu Fuß sind, würden sich eine weite Reise ins Ausland zu wechselnden Orten und Städten nicht mehr zutrauen. Ständig unterwegs zu sein von einem Hotel zum anderen ist anstrengend und Kräfte raubend. Eine Schiffsreise dagegen bietet Geborgenheit, Kontinuität in der Unterbringung und zugleich Abwechslung durch die unterschiedlichen Zielorte. Sie ist für viele Menschen wie ein großes Fenster zu einer bunten Welt, die sie sonst nie mehr zu sehen bekämen. Es sind viele Alleinreisende auf den Schiffen, sei es, weil sie ihr Leben lang allein waren oder weil sie niemanden mehr haben, der oder die mitfährt, die Welt zu entdecken. Ich habe viele Menschen getroffen, die einen Verlust zu verkraften hatten. Auf den Schiffen gibt es viele Trauernde, Einsame, Menschen, die in der auf Zeit angebotenen Familiarität der kleineren Kreuzfahrtschiffe Gemeinschaft suchen, Unterhaltung, Abwechslung und viele bunte Reisebilder, die ihren Alltag zu Hause hell machen. Menschen, die Bilder sammeln auf diesen Reisen, die ihnen zu Hause zu Schätzen werden, von denen sie lange zehren können.

Nach diesen Überlegungen habe ich kurzerhand mein Lieblingskinderbuch *Frederick* in den Koffer gepackt und meinem ersten *Wort zum Sonntag* den Titel *„Schätze sammeln mit Frederick"* gegeben.

Liebe Bordgemeinde!

Frederick ist heute mein Begleiter! Kennen Sie Frederick? Frederick heißt eines der schönsten Kinderbücher, die ich zu Hause habe, und Frederick ist der Name der Hauptperson in diesem Buch. Der Name dieser Maus! Vielleicht haben Sie die Geschichte von Frederick früher einmal Ihren Kindern oder Enkeln vorgelesen? Vielleicht haben Sie Frederick auch vergessen und beginnen nun, sich zu erinnern, wenn ich Ihnen seine Geschichte erzähle?!

Während vier kleine Feldmäuse fleißig Vorräte für den Winter zusammentragen, sitzt die fünfte Feldmaus, nämlich Frederick, scheinbar untätig herum. „Warum arbeitest du nicht?", fragen ihn die anderen Mäuse. Frederick antwortet dreimal. Zuerst: „Ich sammle Sonnenstrahlen für die kalten, dunklen Wintertage." Und dann: „Ich sammle Farben, denn der Winter ist grau." Und schließlich, als die anderen Mäuse ihn fragen, ob er etwa träume: „Ich sammle Wörter. Es gibt viele so lange Wintertage, und dann wissen wir nicht mehr, worüber wir sprechen sollen." Tja, und dann kommt der Winter. Die Vorräte, die die Mäuse gesammelt haben, gehen langsam zu Ende. Es wird kalt und dunkel und öde. Und nun kommt Fredericks große Stunde: Frederick fordert die anderen Mäuse auf, ihre Augen zu schließen. Und dann beginnt er zu erzählen: Allein mit Worten malt er die Sonnenstrahlen und die bunten Farben. Den Mäusen wird es ganz warm ums Herz, als Frederick den Schatz seiner Worte hervorholt. „Du bist ja ein Dichter", sagen sie ganz beglückt ...

Tja, diese Geschichte könnte auch anders verlaufen, das würde sich dann etwa so anhören: Da sitzen die Mäuse verlassen und frierend im kalten, dunklen Winter. Sie wünschen sich so sehr, dass ihnen warm ums Herz wird. Aber wie soll das gehen? Wie soll ihnen warm werden, wenn sie sich nicht gegenseitig trösten und stärken können?

Wie sollen sie sich aber gegenseitig trösten und stärken, wenn sie keine schönen Bilder im Herzen und keine Worte dafür haben?

Wie sollen sie aber Worte haben, wenn sie diese nicht im Sommer gesammelt haben?

Ach ja, Sie haben schon lange gemerkt: Es geht in dieser Geschichte doch gar nicht um Mäuse. Es geht um Menschen, um Menschen wie dich und mich! Gemeinsam sind wir unterwegs auf einer wunderbaren Reise, gerade der herrlichen Insel Santorin entgegen. Jeden Tag haben wir unendlich viele Gelegenheiten, Licht, Farben und Bilder zu sammeln für andere Zeiten. Für die dunkleren, die kargeren Tage. Diese Bilder, die Farben, das Licht können wie ein Schatz sein, den wir in uns tragen. Ein Schatz, der zu Worten werden kann, wenn wir unsere Augen schließen und die Bilder zurückholen in unsere Herzen und Sinne. Nicht viel anders verhält es sich mit Worten aus der Bibel. Wenn wir in guten Zeiten Worte der Bibel sammeln: Trostworte, Bildworte, Psalmen, dann tragen wir auch einen Schatz in uns für andere Zeiten. Nicht nur für uns selbst, sondern auch für andere Menschen, denen wir von der Kraft der biblischen Worte erzählen. Wie Frederick können wir alle jederzeit zu Freudenboten und zu Tröstern werden.

Zu diesem Wort zum Sonntag habe ich sehr, sehr viele positive Reaktionen bekommen. Es hat die Leute angesprochen, gefreut, vielleicht sogar amüsiert oder an frühere Zeiten erinnert. Ehrlich fand ich einen Kollegen aus der Künstlergruppe, der als Naturwissenschaftler auf dem Schiff meereskundliche Vorträge hielt und erklärtermaßen mit Kirche „nichts am Hut" hat. Er hatte sich die Sendung angesehen und meinte anerkennend: „Das war wirklich klasse, aber als du mit der Bibel angefangen hast, da habe ich abgeschaltet …"

KREUZFAHRTSCHIFF IST NICHT GLEICH KREUZFAHRTSCHIFF

AUCH DIE PFARRERIN MUSS
IHR SCHIFF FINDEN

Kreuzfahrten waren nie mein Thema. Das änderte sich unerwartet auf einer Griechenland-Reise, auf der ich einen früheren Bordseelsorger kennenlernte, der aus Altersgründen diesen Dienst quittieren musste. Während wir durch die antiken Stätten von Epidauros schlenderten, meinte er unvermittelt: *„Sie sind die geborene Bordseelsorgerin"*, und schickte mich damit aufs Schiff. Natürlich habe ich mich schicken lassen, es passte gerade: berufsbiografisch, zeitlich und privat, und einige Monate später erklomm ich erstmals die Gangway eines Kreuzfahrtschiffes. Natürlich habe ich davon erzählt und gestaunt, dass das Thema Kreuzfahrten und Kreuzfahrtschiffe überall größtes Interesse auslöste. Keine meiner anderen Tätigkeiten schien so interessant zu sein wie diese – das ist auch vier Jahre später noch so.

Nichtsdestotrotz scheiden sich an Kreuzfahrt-Reisen die Geister: Viele Leute finden Kreuzfahrten spannend, möchten viel davon wissen, wären am liebsten meine blinden Passagiere. Andere dagegen finden Kreuzfahrten schrecklich, würden diese Form von Tourismus aus ökologischen, arbeitsrechtlichen und vielen anderen Gründen am liebsten gleich abschaffen. So oder so: Das Interesse an meiner Arbeit auf dem Schiff ist groß.

Vor meiner ersten Reise schenkte mir jemand in freundlicher Absicht ein von Harald Schmidt als „grandios" ausgewiesenes Buch des bedeutenden amerikanischen Autors David Foster Wallace. Dessen Fazit nach einer achttägigen Kreuzfahrt-Reise in die Karibik wurde zum Titel der Veröffentlichung: *Schrecklich amüsant – aber in Zukunft ohne mich.* Das habe ich natürlich gelesen, dazu einige sehr kritische Filme zu Kreuzfahrten gesehen, die mir von verschiedenen Leuten zugespielt wurden. Ein bisschen Hölle war schon dabei, mir wurde leicht mulmig bei dem Gedanken daran, worauf ich mich da eingelassen hatte. Was sollte ich mit diesen Informationen tun? Zu diesem Zeitpunkt befand ich mich schon auf einem „way of no return", d.h., ich *musste* meine eigenen Erfahrungen machen. Von heute her gesehen sage ich: Ich *durfte* meine eigenen Erfahrungen machen. Meine erste Reise auf der MS Enea zum Nordkap war wunderbar, keineswegs schrecklich und erst recht nicht „*schrecklich amüsant*". Wie kann man zu so unterschiedlichen Einschätzungen kommen? Ganz einfach: Der bedeutende Autor und die ehrenamtlich arbeitende Pfarrerin waren auf sehr unterschiedlichen Schiffen in sehr unterschiedlichen Regionen mit unterschiedlichem Auftrag unterwegs. Der eine sollte einen Artikel für die amerikanische Zeitschrift *Harper's Magazine* schreiben, die andere sollte im Auftrag der Evangelischen Kirche in Deutschland Menschen seelsorglich und spirituell begleiten. Die Gemeinsamkeit unserer

Kreuzfahrtschiffe mag weitgehend nur darin bestanden haben, dass die Schiffe ihren Gästen Unterkunft, Verpflegung und Unterhaltung boten und auf dem Meer unterwegs waren, um touristisch interessante Ziele anzulaufen. Schaut man bei *Wikipedia* nach, findet man eine ellenlange Liste von Kreuzfahrtschiffen, solche, die stillgelegt sind, und solche, die sich noch im aktiven Dienst befinden. Ferner interessant ist die Liste der zehn größten Kreuzfahrtschiffe, deren Kapazität zwischen 5.400 und 3.560 Passagieren liegt. Die Schiffe dagegen, auf denen ich als Bordgeistliche Dienst tue, gehören zu den kleinen, den familiär geprägten Schiffen, deren Passagierkapazitäten zwischen 400 und 800 Gästen liegen. Da mag es schon mal Unterschiede geben, die zwischen Ballermann und Baden-Baden liegen ...

„Das ideale Schiff sieht für jeden etwas anders aus", las ich während meiner letzten Kreuzfahrt in einem Zeitungsartikel. Stimmt. Kreuzfahrtschiff ist nicht gleich Kreuzfahrtschiff. Die Unterschiede liegen nicht nur in Größe und Ausstattung der Schiffe, sondern ebenso bei den Zielgruppen der Gäste, ihren Lebensstilen, Interessen, ihrem Alter und ihrer finanziellen Situation. Die Angebotsprofile reichen von Luxus über Expedition und Abenteuer bis zu Bildung, Kultur und Gourmet-Reisen, aber auch Fitness, Wellness und Erholung sind dabei. Alles gibt es, was das Urlauber-Herz begehrt, und das auf unterschiedlichen Niveaus. Und Halligalli gibt es natürlich auch ...

Das hätte Albert Ballin, der als Erfinder der modernen Kreuzfahrt gilt, sich wohl kaum denken können, als er vor 125 Jahren gegen den Widerstand seiner Reederei die „Auguste Victoria" zur ersten Vergnügungsreise in den Mittelmeerraum schickte. Sein pragmatisches Ziel war die bessere Auslastung der Schiffe im Winter. Im Januar 1891 ging es von Cuxhaven aus mit 174 Gästen aus Deutschland, England und Amerika und einer 245-Mann-Crew zu einer zweimonatigen Tour los. Die Reise wurde ein voller Erfolg. Dieser Erfolg von 1891 wurde zur Erfolgsstory und hält bis heute an: Aktuell gehört die Kreuzfahrt-Branche zu den am stärksten wachsenden Segmenten der Tourismusindustrie und wurde seit der Milleniumswende zu einem Massenphänomen. Für das Jahr 2020 liegen die Prognosen bei etwa drei Millionen Kreuzfahrt-Passagieren allein aus Deutschland. Doch für jeden einzelnen Passagier gilt: Jeder muss sein Schiff finden. In gewissem Maße gilt das auch für die Pfarrerin. Ihre Suche nach dem passenden Schiff wird allerdings insofern erleichtert, als die Auswahl der Reedereien, die Bordgeistliche mitnehmen, überschaubar ist. Ich habe mich sehr gefreut, als mir einmal ein Kapitän in einem Gespräch sagte, wie sehr er es zu schätzen wisse, dass es an Bord nicht nur ein Casino gebe, sondern auch Bordgeistliche, die die Menschen auf ihren Urlaubsreisen begleiten und ihnen Angebote machen. Etwas Schöneres hätte er mir gar nicht sagen können.

WETTER-APP UND SEGENS-WUNSCH

„DAS WORT ZUM SONNTAG"
IM BORD-TV

Samstagabend ist Fernsehabend, das gilt jedenfalls für das im Bordfernsehen übertragene *Wort zum Sonntag*. Ihm gehen Landgangs- und Bordinformationen durch den Kreuzfahrt-Direktor voraus, Interviews mit Mitarbeitern oder Abendkünstlern oder was auf dem Schiff gerade aktuell zu veröffentlichen ist. In der Regel ist das ein buntes Potpourri der Reisefreude und der guten Laune. Am Ende kündigt der Kreuzfahrt-Direktor *Das Wort zum Sonntag* an, das vorher im Studio aufgezeichnet worden ist. Drei bis vier Minuten Redezeit stehen zur Verfügung, ein zeitlicher Rahmen, der den Hör- und Sehgewohnheiten der Leute wie auch der Situation, in die es hineingesprochen wird, entgegenkommt. Oft ist das die Zeit der Rückkehr von Landausflügen, die Zeit, in der die Passagiere sich auf das Abendessen vorbereiten, sich frisch machen, umziehen und das Bord-TV nebenbei eingeschaltet haben. Am Samstagabend ist *Das Wort zum Sonntag* im Bordfernsehen daher ebenfalls ein Nebenbei-Medium, man hört nebenbei, guckt nebenbei mal hin, wenn einen ein Gedanke interessiert oder anspricht. Aktuelles vom Tage, zu Lebensweisheit verdichtet, ist hier gefragt und weniger eine biblische Betrachtung mit theologischem Tiefgang. Letztere sind in der abendlichen Nebenbei-Situation fehl am Platze, sie haben ihren Ort in den Morgenandachten und Gottesdiensten, zu denen *die* Besucher kommen, die Biblisches und Theologisches erwarten.

Das Bordfernsehen am Samstagabend stellt für mich als Pfarrerin eine weitere Gelegenheit dar, auf dem Kreuzfahrtschiff bekannt zu werden, die Gäste – im doppelten Sinne – anzusprechen, um für die Zeit der Reise eine Bordgemeinde aufzubauen. Den nachfolgenden Text für *Das Wort zum Sonntag* hatte ich als Vorlage mitgebracht, eine auf der Reise aufgeschnappte Bemerkung zu Wetter und Reiseziel ließ den gesendeten Text entstehen.

Guten Abend, liebe Bordgemeinde!
„Ihren Anorak können sie heute auf dem Schiff lassen … hier, meine Wetter-App zeigt für Danzig eine Sonnenbank", so freute sich vor ein paar Tagen ein Mitreisender. Den guten Rat habe ich beherzigt, mich aber auch gefragt, wie wir eigentlich früher unsere Ausflüge gemacht haben. Gibt es doch heute kaum noch jemanden, der sich auf den Weg macht, ohne vorher seine Wetter-App zu befragen. Ich auch nicht! Es gibt heute auch kaum noch jemanden, der sich ohne Mobiltelefon auf den Weg macht. Hier frage ich mich ebenso, wie wir früher klargekommen sind. Nostalgisch-amüsiert erinnere ich mich an Zeiten, als ich auf Reisen, zum Beispiel in Italien, eine Post gesucht habe. Da ging man dann hinein, radebrechte den Wunsch nach einer Telefonverbindung nach Deutschland und bekam eine durch eine Tür verschlossene Kabine zugewiesen. In der wartete man dann auf den Klingelton zum Gespräch und die

Stimme, die einen mit Zuhause verband. Das war noch aufregend! Ich erinnere mich an diese Zeiten und merke, wie wenig selbstverständlich das ist, was wir heute für ganz selbstverständlich halten: dass wir anrufen können, wenn uns etwas passiert ist oder wenn wir am Ziel angekommen sind. Dass wir fast überall erreichbar sind. Vielleicht nicht gerade auf einem Kreuzfahrtschiff an Seetagen. Das ist komplizierter und teurer sowieso. Aber es geht ja beim Telefonieren nicht nur um die Erreichbarkeit. Wer fährt denn heute noch Auto ohne Navi? Ein hilfreiches Gerät, das uns den richtigen Weg zeigt; den kürzesten, den ökonomischsten, mit oder ohne Fährverbindungen, so, wie wir es uns wünschen. Im Radio hören wir die Staumeldungen; haben die Nummer für einen Notdienst dabei, wenn das Auto mal Probleme macht. Innerhalb von wenigen Jahrzehnten hat sich unser Leben ungeheuerlich verändert: Und das gilt nicht nur für das Telefonieren oder im Autoverkehr. Die technischen Entwicklungen haben möglich gemacht, was wir vor zwei oder drei Jahrzehnten überhaupt noch nicht denken konnten. Wie bei vielem im Leben liegen hier Segen und Fluch nah beieinander. In den Bereich von Segen gehört sicherlich, dass wir für fast alle Eventualitäten vorsorgen und uns absichern können. Früher hat die Religion für den Umgang mit den Unsicherheiten des Lebens eine deutlich größere Rolle gespielt. Ich kann mich noch an meine Kindheit erinnern, da stand man bei schwerem Gewitter nachts auf und zog sich an. Ja, manchmal versuchte man sogar, die Angst mit Beten zu überwinden. In einem uralten Gebet, dem 121. Psalm, heißt es: Siehe, der Hüter Israels schläft und schlummert nicht. Sind heute die technischen Mittel zur Absicherung und Frühmeldung von Gefahren, die Handys, die Wetterdienste und vieles andere an die Stelle des Vertrauens auf den „Hüter Israels" getreten? Einerseits glaube ich das schon. Andererseits können wir Unsicherheiten und Risiken auch heute nicht vollständig ausschalten. Sie gehören zum Leben. Von hier aus wird mir selbst die Aktualität des Segenswunsches eines anderen Psalms deutlich: Der Herr behüte dich vor allem Übel, er behüte deine Seele. Das wünsche ich heute Ihnen und uns allen auf dieser schönen Schiffsreise!

EINMAL AUF SEE –
IMMER WIEDER
AUF SEE

„Wohin auch immer wir reisen,
wir suchen, wovon wir träumten,
und finden doch stets nur uns selbst."
Günter Kunert, deutscher Schriftsteller

M S

» Wherev
we look for that w
and yet all we ev
GÜNTER K
GERM

A

e travel,
we dreamed of,
nd is ourselves. «

(* 1929)
TER

VON EINIGEN MITARBEITERN UND MANCHERLEI VIREN

Die seit etwa dem Jahr 2000 rasant wachsende Kreuzfahrt-Branche bietet eine Menge Arbeitsplätze. Ich frage mich, was Menschen immer wieder einen Job auf einem Kreuzfahrtschiff übernehmen lässt. Selten traf ich Leute, die zum ersten Mal an Bord waren, im Gegenteil, *je öfter desto lieber* war mein Eindruck. Wenn es sich ohne Peinlichkeit ergab, habe ich Crew-Mitarbeiter gefragt, warum es sie immer wieder auf See zieht. Die Antworten sind so unterschiedlich wie die Menschen, die sie geben. Einigen dieser Antworten will ich ein wenig nachspüren, dies allerdings ohne den Anspruch, ein vollständiges Motivationsbild zu zeichnen.

Als erste Begründung begegnete mir der „Reisevirus" in Gestalt der akkuraten Hausdame Olga, die seit annähernd acht Jahren immer wieder auf Kreuzfahrtschiffen arbeitet. Sie verschweigt nicht, dass ihr die Arbeit manchmal sehr schwerfalle: im Alle-paar-Wochen-Takt wechselnde Gäste mit immer wiederkehrenden Fragen und Ansprüchen zu erleben, oft sehr nett, manchmal aber auch arrogant bis unverschämt. Das Ende einer jeden Reise sei jedes Mal der Anfang einer neuen Reise, und dann ginge alles wieder von vorne los: Manchmal könne sie keine Gäste mehr sehen. Sie habe versucht auszusteigen, aber es sei ihr nicht gelungen. Nach einem halben Jahr an Land sei sie wieder aufs Schiff zurückgekehrt: „Der Reisevirus packt mich immer wieder, ich muss aufs Schiff, ob ich will oder nicht", sagte sie wörtlich zu mir.

Der „Reisevirus" ist es wohl auch, der das Künstlerehepaar gepackt hat, das weite Strecken des Jahres auf einem Kreuzfahrtschiff arbeitet, dort in sehr bescheidenen Kabinen-Verhältnissen lebt, während es in seinem Husumer Häuschen nur von Zeit zu Zeit mal nach dem Rechten sieht. Dieses ältere Ehepaar kennt die Welt, verpasst keinen Landgang und ist ständig unterwegs und auf Entdeckungstour. Zum „Reisevirus" hat sich bei diesem Paar sicherlich auch der „Entdeckervirus" gesellt.

Neben diesen beiden Viren ist mir auch der „Liebe-auf-See-Virus" begegnet: Ich sehe Christian und Christina vor mir, ein Paar, das sich vor vielen Jahren in der Crew eines Kreuzfahrtschiffes getroffen und lieben gelernt hat und nun gemeinsam unterwegs ist. Als klar war, dass sie zueinander gehören, mussten sie nicht lange überlegen, wo in der Republik sie ansässig werden wollten. Sie gehören auf ein Kreuzfahrtschiff, ein Leben an Land wäre für die beiden nicht mehr denkbar. Sie genießen die Arbeit in diesem überschaubaren Mikrokosmos an Bord, hier sind sie zu Hause, von hier aus haben sie viel von der Welt gesehen. Darum drängt es sie auch gar nicht mehr, in jedem Hafen an Land zu gehen. Ihre anfangs unbändige Neugier ist im Laufe der Jahre einer etwas ruhigeren Bequemlichkeit gewichen. Und wenn sie Urlaub machen, dann wandern sie im Allgäu und freuen sich nach drei Wochen wieder auf ihr Schiff.

Eine außergewöhnliche Urlaubs-Variante begegnete mir dagegen in Jens, im Hauptberuf Flugbegleiter, der sich kaum etwas Schöneres vorstellen kann, als im Urlaub die Gangway des Fliegers gegen die Gangway eines Kreuzfahrtschiffes einzutauschen. Hier arbeitet er als Host. Bezogen auf das ganze Jahr ist er die meiste Zeit in der Luft und auf dem Meer und nur manchmal an Land. Das findet er reizvoll und spannend und genießt sein vom „Ständig-unterwegs-Virus" infiziertes Leben in vollen Zügen.

Auch mit Klaus hatte ich ein offenes Gespräch. Er ist Touristik-Mitarbeiter, arbeitet seit mehr als einem Jahrzehnt auf verschiedenen Schiffen und wird es nicht leid. Im Gegenteil, er genießt seine abwechslungsreiche Arbeit, die ihm immerfort neue Eindrücke und Impulse gibt und ihm von Reise zu Reise neue Orte und Menschen beschert. Dieser Mann mittleren Alters hat mich sehr beeindruckt. Mir war deutlich, wie viel und engagiert er arbeitet, und zugleich konnte ich an ihm keinerlei Ermüdungserscheinungen wahrnehmen: Freundlich, zuverlässig und kompetent macht er seine Arbeit und freut sich auf die nächsten Jahre. Dann aber sieht er sich nicht auf einem Mainstream-Luxus-Liner, sondern auf einem Expeditionsschiff. Wie das ältere Ehepaar repräsentiert auch Klaus die Kategorie „Entdeckervirus", dies deshalb, weil er ständig eine neue Qualität und neue Herausforderungen in seiner Arbeit sucht.

Silke, die auch in der Touristik arbeitet, wird den „Reisevirus" ebenso wenig los und fährt seit mehreren Jahren an Bord eines Cruise-Liners. Dies, obwohl sie die ökologischen Probleme, die diese Form des Reisens mit sich bringt, sehr pointiert zu benennen vermag. Aus diesem Grund sieht sie sich demnächst an einer Universität, in einem Umweltschutz-, Ökologie- und Nachhaltigkeits-Studiengang und plant mittelfristig, ihre dort erworbene Kompetenz in die Entwicklung der Kreuzschifffahrt einzubringen.

Über die erzählten Beispiele hinaus habe ich mit vielen Menschen gesprochen: mit jungen Leuten, die dabei sind, ihren Platz in der Gesellschaft, auch auf einem Schiff, zu finden. Mit Leuten mittleren Alters, die diesen Platz gefunden und sich eingerichtet haben. Aber auch mit älteren, die nach ihrer aktiven Berufstätigkeit in verantwortungsvollen Positionen nun an Bord eines Kreuzfahrtschiffes eine neue Aufgabe wahrnehmen. Vielleicht das tun, wozu sie vorher keine Zeit hatten. Mein eindrücklichster Protagonist dieser Gruppe ist Otto, ein flotter Achtundsechziger, der mit Sneakers an den Füßen und einer Base-Cap auf dem Kopf locker die Welt entdeckt und abends in der Lounge allein reisende Damen zum Tanz auffordert.

Manche Menschen an Bord eines Schiffes finden eine neue Rolle für ihr Leben, andere fügen der einen Rolle eine weitere hinzu. Dafür steht Gloria, eine Hostess mit Charme und Schwung. Überzeugend und souverän erlebte ich sie bei ihrem Einsatz an Bord nach ihrer Lebensphase der Gebundenheit durch Ehe und Familie. Heute freut sie sich an ihrem Reichtum mit Familie und Enkelkindern an Land wie an ihrem bunten Leben auf See und bringt nicht selten die beiden Seiten ihres Lebens beglückend zusammen. Nämlich dann, wenn ihr Ehemann oder ihre Kinder mit Enkeln sie auf ihren Reisen begleiten. Für Gloria, wie für viele andere, die ich kennenlernen durfte, gilt sicherlich ohne Einschränkung: *„Einmal auf See – immer wieder auf See."*

Was aber keineswegs heißt, dass die Arbeit auf einem Kreuzfahrtschiff *„das Himmelreich auf dem Wasser"* bedeutet. Die Arbeit ist hochprofessionell, anspruchsvoll und Kräfte raubend. Und sie hat ihren Preis: keine geregelten Arbeitszeiten, immer im Dienst, sobald man die Kabine verlässt, immer freundlich, verbindlich, zuvorkommend und so gut wie nie krank. Kluge Reedereien bauen einer Ermüdung ihrer Mitarbeiter vor, indem sie sie verpflichten, nach drei Monaten Dienst Urlaub zu nehmen. Wo das nicht gelingt, kann es durchaus zu erkennbaren Schwächen im System kommen. Solche sind mir auf einer Tour aufgefallen, und so fand ich es nicht erstaunlich, dass ein von der Reederei beauftragter Kommunikationstrainer mit an Bord war. *„Einmal auf See – immer wieder auf See"*: Das kann eine bereichernde Lebensentscheidung sein, sie kann aber auch Gefahren mit sich bringen: Der Chefarzt einer medizinisch-psychotherapeutischen Klinik in Süddeutschland berichtet in einem Chrismon-Interview von den verführerischen Anreizen der Reisebranche gerade für junge Menschen. Die Welt kennenzulernen und dabei auch noch Geld zu verdienen, habe eine hohe Attraktion. Toller Job, schickes Ambiente, dickes Trinkgeld. Gerade junge Männer fahren voll darauf ab, nicht zuletzt, weil sie davon träumen, leicht und häufig wechselnd Frauen kennenzulernen. Der Arzt berichtet von Patienten, die als Mittdreißiger mit der Diagnose Überforderung und Burnout, ohne abgeschlossenes Studium oder Berufsperspektive und obendrein verlorenen sozialen Heimat-Kontakten in seiner Klinik stranden: *„Nach Jahren der touristischen Arbeit im Ausland kommen viele buchstäblich mit nichts zurück; ein Neustart in Deutschland ist dann oft sehr schwierig."*

Diese Gefahr ist sicherlich real, aber längst nicht alle jungen Menschen sitzen ihr auf. Ich denke an Mareike, die junge, gut aussehende Kellnerin. Sie erzählte von ihrem miesen Abitur, mit dem sie keinen Studienplatz bekommen habe. Also machte sie sich auf und bewarb sich um einen Kreuzfahrt-Job: auf in die weite Welt, weg von der garstigen Schulwirklichkeit, weit weg von den meckernden Eltern. Auf dem Schiff habe sie nun ein halbes Jahr gearbeitet, das sei eine gute und bereichernde Zeit gewesen, nun sei es aber auch wieder dran, nach Hause zurückzugehen, zu ihrer Familie, zu ihren Freunden, und eine gescheite Ausbildung zu beginnen. Anders und doch vergleichbar habe ich Moritz erlebt, einen jungen, umsichtig-geschickten und freundlichen Restaurant-Mitarbeiter, der es mit seinem Können und seinem Charme auf dem noblen Schiff bestimmt zum Restaurant-Leiter hätte bringen können. Ich habe ihn während seiner letzten beiden Wochen auf See kennengelernt, und er ließ keinen Zweifel daran, wie sehr er sich nach sechs Monaten auf seine Familie und seine Freunde in Deutschland freue. Beide – und noch einige junge Gesprächspartner mehr – stehen also eher für diese Haltung: *Einmal auf See – das war eine bereichernde Erfahrung.*

ALLES HINTER SICH LASSEN

DIE SEEREISE ZWISCHEN FASZINATION, FREUDE UND FLUCHT

Es gibt viele gute Gründe für eine Seereise: Man muss sich um nichts kümmern, wird kulinarisch bestens versorgt, kulturell niveauvoll unterhalten und nähert sich so ganz entspannt den fantastischsten Orten der Welt. Schön langsam in unseren hektischen Zeiten, in denen viele Menschen sich nach Entschleunigung sehnen. Ohne eigene Reise-Anstrengung, ohne das Hotelzimmer wechseln zu müssen, kommt man in der Welt herum und kann dabei auch noch, an Bord wie an Land, vieles lernen. Reisen bildet. Reisen macht Freude. Kreuzfahrt-Touristen bereisen fast jeden Winkel der Welt, kein Ziel ist zu weit auf diesem Erdenball. Kreuzfahrten bieten globales Reisen mit lokaler Geborgenheit. Makrokosmos und Mikrokosmos. Welt und Dorf. Denn zumindest auf den kleineren Schiffen kennt bald jeder jeden, man begegnet sich morgens, mittags, abends – beim Frühstück, im Restaurant, am Pool, an Deck, in den Fluren und bei den Landausflügen. Die Geborgenheit auf einem der kleineren Kreuzfahrtschiffe ist für ältere Menschen ein wichtiger Faktor, sich für diese Reiseform zu entscheiden. Doch die Geborgenheit ist es nicht allein, es gibt auch das andere: die betörende Weite des Meeres.

Das Meer ist faszinierend. Wer sich an ihm freut, freut sich an dem Spiel der Farben bei unterschiedlicher Lichteinwirkung, zu unterschiedlichen Tageszeiten und Witterungen. Nie sieht es gleich aus: Mal ist es ruhig, mal wild, mal düster-grau, mal silbrig flimmernd, mal strahlend blau oder leuchtend türkis. Manche Menschen können stundenlang an Deck sitzen, in die Weite schauen, den Sonnenuntergang betrachten oder darauf warten, dass sich auf dem Horizont ein Schiffsumriss andeutet. Auf das Meer zu schauen, lässt uns endliche Menschen etwas von der Unendlichkeit des Kosmos erahnen, uns partiell sogar mit ihm verbinden.

Wir erleben das Meer aber auch rau und unbändig, tückisch und voller Gefahren. Riffe, Strömungen und Stürme können sich zu beängstigenden Bedrohungen auswachsen. Auch deshalb sollten wir als Kreuzfahrt-Touristen immer einen Magenberuhiger im Koffer haben und dürfen uns freuen, wenn es keinen Grund gibt, die Arzneipackung mit dem Mittel gegen Seekrankheit zu öffnen.

Sind die Gäste erst einmal an Bord ihres Schiffes und schippern neuen Zielen entgegen, beginnt das Nichtstun als Gegenkraft zu ihrer sonst oft streng verplanten Alltagswelt. Die lassen sie hinter sich. Aus der Urlauber-Perspektive scheint das Meer ein Ort tiefen Glücks und grenzenloser Freiheit zu sein. Allein das reicht als gute Begründung für eine Schiffsreise: Die Faszination des Meeres mit allen Sinnen erleben, die Freude an guter Unterhaltung genießen, Bordgemeinschaft pflegen.

Eines Tages bekomme ich aber eine Ahnung, dass es eine weitere Begründung gibt. Ich spreche mit der Schiffsärztin während meines Besuches in ihrem Bordhospital. Sie erzählt von sich und ihrer Arbeit: Ein halbes Jahr sei sie an Land in ihrer eigenen Praxis, für die andere Hälfte des Jahres hole sie sich eine Praxisvertretung und freue sich auf den Dienst an Bord. Hier könne sie alles hinter sich lassen. Von Flucht sprach sie, Flucht vor einem durch zunehmende Bürokratisierung erschwerten Berufsalltag, Flucht vor der deutschen Gesundheitspolitik. Beim Thema „Flucht" werden meine Ohren groß. Einer ihrer Kollegen hatte mir einmal von seiner Ausbildung für die Arbeit an Bord erzählt. Zu Beginn habe man ihn gefragt: *„Wovor flüchtest du?"* Insider gehen davon aus, dass viele, die aufs Schiff gehen, Gründe haben zu flüchten: privat, beruflich, gesellschaftlich. Mein Bild rundet sich: Zu Faszination und Freude gesellt sich Flucht als Begründung für das zeitweilige Leben auf einem Schiff. Bei meinen Gesprächen und Begegnungen habe ich versucht, dieser Sichtweise nachzuspüren und muss sagen: Einmal für dieses Thema sensibilisiert, sind mir auf den Schiffsreisen viele „Menschen auf der Flucht" begegnet, Gäste wie Mitarbeiter. Die Gründe dafür sind vielfältig. Menschen fliehen vor ihren Sorgen, vor ihrer Trauer, vor Einsamkeit und Leere, vor beruflichen Belastungen, vor ihren persönlichen Realitäten in der Gesellschaft, vor Problemen in der Familie, vor ihren gescheiterten Beziehungen, vor Weihnachten. Zu vielen der genannten Gründe könnte ich viele wahre Geschichten erzählen.

DIE VON DEN
PHILIPPINEN KOMMEN

DIE BORDGEISTLICHE ERFÄHRT ÜBERRASCHENDES NACH EINEM PFINGSTGOTTESDIENST

„Urlaub auf Kosten anderer?", lautete einmal ein provozierender Titel beim Kirchenforum während der *Internationalen Tourismus-Börse* in Berlin. Das evangelische Online-Magazin *chrismon.de* griff diesen Titel in einem kritischen Beitrag zur Situation der Beschäftigten auf Kreuzfahrtschiffen auf. Viel Bedenkenswertes war dort zu lesen von ungeregelten Arbeitszeiten, Überforderung und Burnout, von mangelhaftem Arbeitsschutz und Dumpinglöhnen. *„Viele Urlaubsreisen sind nach Ansicht von Fachleuten ethisch kaum vertretbar. Die Beschäftigten in den Zielländern oder auf den sogenannten Traumschiffen werden hemmungslos ausgebeutet"*, so das Fazit dieses Artikels. Auch mich hat dieses Thema schon vor meinem ersten Einsatz auf einem Kreuzfahrtschiff beschäftigt.

Augenfällig ist die große Zahl der Mitarbeiter und Mitarbeiterinnen, die von den Philippinen kommen. Sie arbeiten in der Schiffs-Gastronomie, im Housekeeping, in den manuellen und technischen Diensten. Augenfällig ist aber auch, wie freundlich und fröhlich diese Menschen sind. Wir nennen sie Filipinos, das könnte despektierlich sein, respektvoller klingt: Philippiner und Philippinerin. Jemand fragte mich, wie ich das denn fände: auf den oberen Decks der Luxus, auf dem unteren Deck die Niedriglohn-Mitarbeiter. Spontan habe ich geantwortet: *„Nimm dem Mann nicht seine Reisschale!"* Die Frage ließ mich nicht los. Mitarbeitern auf Schiffen habe ich sie gestellt: einer Krankenschwester, einem Touristik-Manager, einem Pianisten, einer Lektorin – unterschiedlichen Menschen, mit denen ich gut ins Gespräch kam. Alle meine Gesprächspartner arbeiten selbst lohnabhängig auf Kreuzfahrtschiffen, wohnen im Crew- und nicht im Passagier-Bereich. Besonders eingeleuchtet hat mir eine – die Ambivalenz aufzeigende – Antwort eines Rezeption-Mitarbeiters, der seit mehr als 13 Jahren auf Kreuzfahrtschiffen unterwegs ist: „Ja", meinte er, *„einerseits werden die Filipinos ausgebeutet, andererseits aber auch nicht. Sie verdienen nicht schlecht und ernähren zu Hause mit dem Geld, das sie auf den Schiffen verdienen, die ganze Familie."* Er hatte guten Kontakt zu seinen philippinischen Kollegen, schwärmte regelrecht von deren Freundlichkeit und Hilfsbereitschaft. Seine Einschätzung war, dass viele Philippiner gerne auf Schiffen arbeiten, um die Welt kennenzulernen. *„Offen, herzlich und fröhlich"*, nannte eine schiffserfahrene Lektorin sie, sie seien unverfälscht, zwischen ihnen und Mitarbeitern anderer Volksgruppen lägen Unterschiede, die man vielleicht nur mit „Mentalität" erklären könne, Unterschiede wie Tag und Nacht. Ein Schiffsarzt erzählte mir von der Freundlichkeit der Philippiner und ihrem beachtlichen Sozialverhalten untereinander. Ginge es mal jemanden nicht gut, so sei es selbstverständlich, dass man füreinander einspringe. Darum gebe es auf dem Schiff kaum Krankenstand, den könne man sich bei einem solchen Betrieb aber auch kaum leisten. Das kann man sicherlich so oder so hören und beurteilen, die Ambivalenz ist auch hier deutlich. Trotzdem ist mein Eindruck, dass es diese vielen positiven Attribute und Verhaltensweisen nicht gäbe, wenn es den Crew-Mitarbeitern aus dem südostasiatischen Inselstaat auf den Schiffen schlecht ginge, wenn sie sich wie moderne Sklaven fühlten. Monatelang fern von ihrem Zuhause, haben sie ihre spezifischen Arbeitsbedingungen; aber um wirklich einschätzen zu können, was das für sie bedeutet, muss man mit ihnen selbst sprechen, statt eigene Vorstellungen in ihre Situation hineinzuprojizieren. Ein mitternächtlicher Pfingst-Gottesdienst eröffnete mir solche Gesprächsmöglichkeiten mit überraschenden Erkenntnissen. Und das kam so:

Während einer Kreuzfahrt sprach mich der freundliche Kapitän mit der Bitte an, für die Crew-Mitglieder einen Gottesdienst zu halten. Die Crew-Mitglieder, denen ein Gottesdienst wichtig ist, sind hauptsächlich die überwiegend katholisch geprägten und Englisch sprechenden Philippiner. Als Frau im Pfarrberuf zögerte ich, obwohl wir alle Gottesdienste auf den Schiffen in ökumenischem Verständnis feiern. Kolleginnen hatten mir erzählt, dass es Akzeptanzprobleme gegenüber Frauen im Pfarrdienst seitens der katholischen Philippiner gebe. Wie gut, dass der Kapitän nicht locker ließ. Bei nächster Gelegenheit sprach er mich wieder auf einen Crew-Gottesdienst an. Akzeptanz hin oder her: Mir wurde klar: *„Das muss ich machen!"* Also bereitete ich für die Pfingstsonntagsnacht einen Abendmahls-Gottesdienst in englischer Sprache vor und gewann den Bordpianisten als Verbündeten. Über Internet und Mail-Kontakt nach Hause besorgte ich passende Lieder in Englisch. Peter, der eher mit Jazz und Musicals vertraute slowenische Pianist, übte für diesen mitternächtlichen Gottesdienst die Lieder ein. Wir beide waren bereit, auch wenn wir nicht einschätzen konnten, ob überhaupt jemand unserer Einladung zum Gottesdienst folgen würde.

So gingen wir mit Spannung in die Pfingstnacht. Tags zuvor hatte ich dem Kirchensteward eine To-do-Liste gegeben, auf der auch *„Wein und Brot"* stand, was für mich fraglos hieß: Abendmahlskelch mit Wein gefüllt, Oblaten auf der silbernen kleinen Platte, der Patene. Auf den Kirchensteward war ich angewiesen, da mir auf diesem Schiff bis zum Ende der Reise verborgen blieb, wo ich das, was wir Abendmahlsgerät nennen, hätte finden können. Diese heiligen Geräte waren aus mir unerfindlichen Gründen irgendwo unter Verschluss und mir als ordinierter Pfarrerin nicht zugänglich. In der Bordkirche, einem für den Gottesdienst mit Altartisch und Stühlen hergerichteten Clubraum, sah eine halbe Stunde vor Gottesdienstbeginn alles wunderbar aus: Liedblätter auf den Sitzen, Kreuz, Kerzen und Blumen auf dem Altar. Aber oh Schreck! Auf dem Altar standen eine entkorkte Flasche Rotwein und ein in Frischhaltefolie gewickelter Turm aus Toastbrotscheiben für das Abendmahl. Kein Kirchensteward weit und breit. Die Uhr tickte unaufhaltsam dem Gottesdienst entgegen. Unmöglich, bei der Austeilung des Abendmahls den Wein aus der Flasche zu reichen, das geht doch gar nicht ... In aufgeregter Aktion gelang es mir, an einer bereits geschlossenen Bar eine Glaskaraffe, ein großes Weinglas und einen halbwegs passenden Teller zu ergattern. Als das geschafft war, warteten der Pianist und ich auf die Gottesdienstbesucher. Niemand kam. Wir blieben allein bis 22.55 Uhr, 22.56 Uhr, 22.57 Uhr, 22.58 Uhr ... und wurden immer kleinmütiger. Plötzlich hörten wir Stimmengemurmel, und dann sahen wir sie alle auf einmal: Eine muntere Gruppe junger Philippiner kam in unsere Kirche. Der Gottesdienst konnte beginnen. Eine Philippinerin, die ich aus dem Restaurant kannte, übernahm spontan die Lesungen in englischer Sprache, gemeinsam feierten wir das heilige Abendmahl, sangen inbrünstig schöne Lieder zum Pfingstfest. Am Ende des Gottesdienstes spielte der Pianist ein Stück von Stevie Wonder. Nach dem Gottesdienst plauderten wir noch eine Weile, stellten uns in einen Halbkreis zum Altar hin und tranken alle gemeinsam den übriggebliebenen Abendmahlswein. Christen verschiedener Herkunft, Tradition und Sprache waren zu einer wunderbaren mitternächtlichen Pfingstgemeinde geworden. Ein

Erlebnis, für das ich dankbar bin, das ich nicht so schnell vergessen werde.

Am nächsten Morgen war vieles anders: Die jungen Philippiner grüßten noch freundlicher, lachten mich an, eine junge Frau aus der Gruppe drückte mich herzlich. So kam ich mit einigen von ihnen in guten Kontakt. Mit Olivia, der Serviererin, habe ich viel gesprochen. Im Laufe der Zeit erzählte sie mehr von sich und ihrer Familie auf den Philippinen und dass sie ein Baby habe, das nun bei ihrer Mutter sei. *„Das muss ja schrecklich sein, so ein kleines Kind, und du bist so weit weg ...".* Sie fand das gar nicht schrecklich: Sie skype jeden Tag mit ihrer Familie, sehe ihr Kind trotz der Distanz täglich und freue sich, wenn sie in zwei Monaten wieder für eine lange Phase zu Hause sein könne. Für sie sei alles gut. Ich war überrascht, und wieder wurde mir klar: Man muss *mit* den Leuten reden und nicht *über* sie. Olivia wirkte auf mich absolut zufrieden.

So auch Bryan, ein aufgeschlossener Kabinensteward, mit dem ich zuvor schon öfter einen Small-Talk gehalten hatte. Als wir einmal etwas mehr Zeit hatten, habe ich ihn nach seinen Arbeitsbedingungen, seinem Verdienst und nach den Trinkgeldern gefragt. Seine bestimmende Motivation, auf einem Kreuzfahrtschiff zu arbeiten, sei die Freude daran, die Welt zu entdecken, meinte er. Dann erzählte er bereitwillig von seinen unterschiedlichen Erfahrungen auf unterschiedlichen Schiffen. Hier fühle er sich sehr wohl, habe gute Arbeitszeiten, die oft

Landgänge ermöglichten. Früher, auf einem anderen Schiff, hätte das nie geklappt, darum habe er gewechselt. Wörtlich sagte er: *„Ich danke Gott, dass ich hier auf diesem Schiff arbeiten kann."* Nur ein Problem habe er, seine Freundin arbeite bei einer anderen Reederei. Manchmal lägen ihre Liner im gleichen Hafen, das sei dann wie Weihnachten und Ostern zusammen. Sonst sei Sehnsucht sein ständiger Begleiter. Damit die Beziehung nicht zerbreche, arbeiten sie nun daran, auf *ein* Schiff zu kommen. Für sein persönliches Glück würde er sogar das Schiff wechseln und sich wieder auf schlechtere Arbeitsbedingungen einlassen. Besonders in dem Gespräch mit Bryan habe ich gelernt: Man muss genau hingucken, bevor man urteilt. Die Situation ist von Schiff zu Schiff sehr verschieden, auf kleinen Luxus-Linern anders als auf den großen Traumschiffen. Ebenso spielt die Haltung der Reedereien zu ihren Mitarbeitern eine große Rolle. Bryan erzählte mir, dass seine Reederei bei den Gästen für angemessene Trinkgelder werbe. Natürlich kann man auch das so oder so hören und beurteilen. Doch wenn man eine Niedriglohnpraxis auf Kreuzfahrtschiffen kritisiert, dann muss man ebenso auf die vielen anderen Niedriglohn-Berufsgruppen an Land schauen, deren Dienste wir selbstverständlich in Anspruch nehmen: Erzieherinnen, Pflegekräfte, Krankenschwestern, Friseurinnen, Kellner und Kellnerinnen, von den polnischen Saisonarbeitern zur Spargelzeit ganz zu schweigen. Solange die Bezahlung nicht angemessen geregelt ist, sollte man – neben aller berechtigten Kritik – selbst großzügige Trinkgelder geben. Gäste haben viele Möglichkeiten, den Mitarbeitern ihre Anerkennung auszudrücken, eine davon ist die einer Trinkgeldpraxis, die dem Wort aus dem 2. Korintherbrief *„Einen fröhlichen Geber hat Gott lieb"* entspricht.

DIE MIT DEN
BOOTEN KOMMEN

BEDRÜCKENDE BEOBACHTUNGEN
IM HAFEN VON KOS

„*Laut dem Flüchtlingshilfswerk der Vereinten Nationen (UNHCR) und der Internationalen Organisation für Migration (IOM) wagten 2015 mehr als 800.000 Menschen die Überfahrt von der Türkei nach Griechenland. Allerdings kamen die Rettungskräfte in den vergangenen Wochen auch häufig zu spät. Dutzende Menschen konnten nur noch tot aus dem Mittelmeer geborgen werden.*" So berichtete *Spiegel online* am 3. Januar 2016. Auch danach reißen die Katastrophenmeldungen nicht ab. Immer wieder ertrinken Flüchtende in den Fluten des Mittelmeeres. „*Pfingsten zu den schönsten Zielen der Ägäis*" – für Mai 2015 hatte ich einen Kreuzfahrt-Dienst übernommen. Diesmal sollte es mehr sein als ein normaler Bordseelsorge-Einsatz, ein Fernsehteam wollte ein Feature über meine Arbeit als Bordgeistliche drehen. Durchaus vertraut im Umgang mit Medien, stimmte ich dem Projekt gerne zu, freute mich auf die Zusammenarbeit mit einer erfahrenen Regisseurin und ihrem Team. Das sollte sich gründlich ändern: Im Laufe des Frühjahrs häuften sich die Berichte über die Flüchtlingsdramen im Mittelmeer. Was mir zunächst als ein spannendes Projekt erschienen war, wurde zunehmend zu einer bedrückenden Vorstellung: Hier Kreuzfahrt-Touristen im Wohlstand in einem „der schönsten Mittelmeergebiete", unterwegs zu acht „griechischen Inselperlen". Dort, etwa 200 Seemeilen entfernt,

Menschen in bitterster Not, in Schlauchbooten unterwegs, um ihr Leben kämpfend der rettenden „Vision Europa" entgegen. Dieses Thema trieb mich mit dunkelsten Vorstellungen um. Am liebsten hätte ich alles abgesagt. Doch diese Freiheit gab es nicht mehr: Ich stand im Wort. Sowohl der mich beauftragenden *Evangelischen Kirche in Deutschland* (EKD) als auch der Regisseurin gegenüber. Mit ihr habe ich lange über meine Bedenken gesprochen. Eine Befreiung brachte das letztendlich nicht. Ich musste mir selbst über meine Rolle in dieser schwierigen Situation klarwerden. Rausmogeln war keine Option. Mir wurde mehr und mehr klar, dass ich *gerade* mitfahren sollte, auch um das Thema „Flüchtende im Mittelmeer" im Bewusstsein der Kreuzfahrt-Touristen zu schärfen. Ich ging an Bord, ohne zu wissen, ob uns auf dieser Reise überhaupt Flüchtende begegnen würden. Nach dem Boarding ging erst einmal alles seinen gewohnten Gang: Kennenlernen von Schiff, Crew und Gästen ließen die Was-wäre-wenn-Frage zunächst in den Hintergrund treten. Den italienischen Stiefel entlang nahm die Reise nach Sizilien ihren Lauf: Taormina besichtigen, hinauf auf den Ätna, Gottesdienst an Himmelfahrt, Jubelfeiern zu Goldhochzeiten, Sport und Spaß der Kreuzfahrt-Touristen besetzten meine Aufmerksamkeit.

Vordergründig. Im Hinterkopf waren sie immer da, die Gedanken an die unbekannten Menschen, die im selben Meer in akuter Lebensgefahr unterwegs sein konnten. Bei meinem Kapitäns-Antrittsbesuch und bei der Bordärztin sprachen wir über Menschen in Seenot. Beiden war das Thema natürlich bewusst, beide hatten sich natürlich auch mit der Was-wäre-wenn-Frage auseinandergesetzt. Und es gab Anweisungen der Reederei für eine mögliche Seenot- und Rettungssituation. Keine Frage: Es gilt die Pflicht, Menschen in Seenot zu retten. Für die Gottesdienste und Morgenandachten hatte ich Gebete dabei, die für Flüchtende, für Menschen in Gefahr bitten. Die kamen in jeder Andacht vor. Dies auch, um Gäste, die sich die Was-wäre-wenn-Frage noch gar nicht ins Bewusstsein geholt hatten, für das Problem zu sensibilisieren. Diese Touristen gab es, mehr als ich erwartet hatte …

Von Sizilien aus steuerte unser Schiff durch das Mittelmeer der griechischen Inselwelt entgegen, ein langer Seetag sollte die Gäste zu traumhaftem „Inselglück" nach Santorin bringen. Fantastisch das Wetter, grandios Santorin mit seinen hoch oben gelegenen, in der ägäischen Sonne hell leuchtenden weißen Häusern. Das „Inselglück" am Tage war den Kreuzfahrt-Touristen hold. Das „Reiseglück" in der Nacht sollte sie am nächsten Morgen sicher in den Hafen der Insel Kos bringen. Die Pfarrerin dagegen träumte vom kleinen „Schlafglück" am Morgen.

Es kam anders. Auf Kreuzfahrt-Dienstreisen ist sie immer unruhig. Auch an diesem Morgen wird sie weit vor der Zeit wach, linst in aller Frühe aus dem Fenster und sieht zwei mit Menschen voll besetzte

Schlauchboote. Alles sieht wohlgeordnet aus, orangefarbene Rettungswesten reflektieren die aufgehende Morgensonne, ein Küstenwachboot gibt den beiden Booten Geleit. Man muss nicht Prophetin sein, um die Situation zu begreifen: Raus aus dem Bett, schnell in die Kleider und hoch auf Deck gerannt. Da ist nichts zu sehen. Ich reibe mir die Augen, habe ich die Szene geträumt? Wo sind sie, die Flüchtenden in ihren Booten? Die „Early Birds", die frühen Frühstücksgäste, kommen nach und nach, freuen sich ahnungslos auf ihren ersten Morgenkaffee. An der Reling sehe ich das Fernsehteam, das Schiff läuft in den Hafen von Kos ein. Da sehe ich sie wieder, die Flüchtenden. Etwa 60 bis 70 Menschen sitzen am Hafenkai von Kos, sie sind mit vier Schlauchbooten hier gelandet: Männer, Frauen, Kinder. Dort sitzen sie ruhig, Kinder laufen hin und her, manche lachen sogar und ich denke: „*Gott sei Dank, sie haben es geschafft, die Menschen leben.*" Was mögen sie wohl hinter sich haben? Mit welchen Augen mögen sie auf unser Kreuzfahrtschiff blicken? Zwei junge griechische Uniformierte sind präsent, sammeln Papiere ein, verschwinden, kommen wieder, die Flüchtenden sehen erschöpft aus und warten geduldig. Müde, hungrig – denke ich. Klar. Einige wenige Kreuzfahrt-Touristen sind aufmerksam geworden, gucken, wenden sich bedrückt ab. Das ist anders, als wenn man es im Fernsehen sieht ... Lieber nicht gucken. Nah am Gucken ist das Gaffen. Tun ist besser, denke ich. Laufe los, um den Kreuzfahrt-Direktor zu erreichen mit dem Gedanken, den Menschen im Hafen einfach etwas zu essen und zu trinken zu bringen. Als Geste. Mehr können wir sicherlich nicht tun, aber vielleicht ist das in dieser Situation sogar schon viel ... Mir kommt das Jesus-Wort aus dem Matthäus-Evangelium in den Sinn: *„Was ihr getan habt einem von diesen meinen geringsten Brüdern und Schwestern, das habt ihr mir getan."* Ob mit oder ohne Jesus-Wort, ein wenig abgeben von der eigenen Fülle, zeichenhaft zur Linderung von Not. Ganz einfach. Vielleicht war ich naiv, wieso sollte die Kreuzfahrt-Leitung nicht selbst gesehen haben, was ich sah? Wieso sollte sie sich nicht schon Gedanken dazu gemacht haben? Mein Impuls, etwas zu tun, war sicherlich stärker als die Reflexion über die Plausibilität meines Tuns. Später erfahre ich: *„Geht nicht, die griechischen Behörden sind jetzt dran, da mischen wir uns nicht ein."* Kann sein, dass die griechischen Behörden unser Handeln nicht zugelassen hätten, weil es ihre Abläufe gestört hätte. Kann sein. Ich weiß es nicht. Ich finde es traurig und beschämend, dass die erschöpften und Schutz suchenden Menschen im Hafen von Kos nicht einfach etwas vom Elementarsten bekamen: Essen und Trinken, auch als Willkommensgeste.

Das „Programm" geht weiter, hier wie dort: Hier verlassen die Kreuzfahrt-Touristen das Schiff zu ihren gebuchten Landausflügen, wohlgeordnet gehen sie die Gangway hinab und werden zu ihren Bussen geleitet. Dort, wenige Meter entfernt, werden die

Geflohenen in Reih und Glied formiert und durch die jungen Uniformierten einer unsicheren Zukunft entgegengeführt. „Willkommen zu Hause", das hölzerne, messingbeschlagene Steuerrad an der Gangway, können sie nicht lesen.

HAFENGEDANKEN

DIE PFARRERIN ZIEHT IHRE PERSÖNLICHE BILANZ

Der letzte Morgen auf dem Schiff ist gekommen. Ganz früh mit Sonnenaufgang gehe ich hoch auf das Deck mit der schönen Blick-aufs-Meer-Bank. Der letzte Abend klingt noch in mir nach, der Farewell-Abend mit der grandiosen Beteiligung der philippinischen Crew-Mitglieder. Unglaublich, was die alles aus sich rausgeholt haben. Sie waren die Künstler des Abends: Zauberer, Artisten, Sängerinnen, Sänger und Karaoke-Sternchen. Aus dem Schatten traten sie ins Rampenlicht, die Leute, die sonst im Hintergrund und Untergrund, nämlich im Bauch des Schiffes, arbeiten. Sie waren die Stars des Abends und bekamen tosenden Applaus. Das hat mich gepackt, ein Funke ist übergesprungen, der bis heute Morgen wirkt. Da sitze ich nun, für mich ist alles getan, und ich habe die Muße, meinen Gedanken über diese und frühere Schiffsreisen nachzuhängen.

Rechne ich meine unterschiedlichen Bordeinsätze zusammen, dann komme ich in der Summe auf mehr als 11.000 Seemeilen, das sind über 21.000 Kilometer in 49 Tagen. Objektiv nicht viel, subjektiv nicht wenig. Jedes Mal habe ich die ersten Tage an Bord als herausfordernd erlebt, beim allerersten Mal bekam ich am dritten Tag die berühmten Anspannungs-Rückenschmerzen. Was tun? Zum Schiffsarzt laufen, mir eine Spritze geben lassen und riskieren, dass mir der Ruf: *„Unsere neue Pfarrerin* *schwächelt"* vorauseilt? Durch mentale Entspannung habe ich das damals lindern und beheben können und seitdem nie wieder gehabt.

Ist die Einstiegshürde genommen, reihen sich die folgenden Tage wie Perlen an einer Schnur zu einer Kette zusammen. So auch diesmal. „Irgendwie" spüre ich heute Morgen ein zufriedenes Gefühl in mir: Auch diese Reise ist für mich „rund" geworden. Ich bin dankbar für alles Gelingen und froh darüber, dass es keine größeren Katastrophen gegeben hat. Meinen Einsatz auf dieser Tour habe ich als dicht und intensiv erlebt im Wechsel von Andachten, Gottesdiensten, Vorträgen, Escort bei Landausflügen und den vielfältigen Gesprächen mit Passagieren, Künstler-Kollegen, Crew-Mitgliedern. Und nicht zuletzt war es wieder einmal eine wunderbare Erfahrung zu erleben, wie sich Tag um Tag eine Bordgemeinde aufbaute, zu der evangelische wie katholische Christen gerne kamen. Unter der Prämisse: *„Uns eint das Band der Taufe"* kann man an Bord ökumenische Gemeinschaft hautnah erleben und gestalten, näher und intensiver, als das in den Ortsgemeinden oft möglich ist. Das habe ich auch auf der hinter mir liegenden Reise als beglückend erfahren. Ich lasse diese Kreuzfahrt an meinem inneren Auge vorbeiziehen. Was war das wieder für ein Reichtum an Begegnungen! Wie viele Menschen habe ich ein kleines Stück auf ihrer Lebenswegstrecke begleitet?! Ich denke an die schönen Bilder der Länder, Städte und Landschaften, die ich diesmal kennenlernen konnte. All das empfinde ich als reichen Lohn für meine Arbeit.

Worüber ich jedes Mal staune, ist die hochprofessionelle Arbeit der Crew: immer im Einsatz, immer „gut drauf", immer freundlich, zuvorkommend und Hintergrundarbeit leistend ohne Ende. Alles läuft tipptopp! Welch ein Einsatz! Was für eine logistische Leistung dahinter steht, kann vielleicht nur ermessen, wer jemals Hintergrundarbeit geleistet hat. Nichts ist selbstverständlich, nichts läuft einfach nur so. Ich bewundere die Crew sehr und glaube zu wissen, was die Arbeit an Bord eines Kreuzfahrtschiffes den Mitarbeitenden abverlangt. Was sie leisten, hat sicherlich seinen Preis: Eine Woche, zwei Wochen, drei Wochen ... und jedes Mal geht es wieder von vorne los: *„The show must go on ...!"* Ein Crew-Mitglied sagte einmal zu mir: *„Ich drücke zu Beginn jeder neuen Reise den Reset-Knopf."* All das geht mir durch den Kopf, während sich „mein" Schiff dem End-Hafen dieser Reise nähert. Immer noch bin ich allein hier oben auf Deck, laufe nach vorne zum Bug und habe einen breiten Ausblick auf das „Einpark"-Manöver unseres Schiffes, sehe die Lotsenboote heranpreschen, sich an unser Schiff anschmiegen und es so in den Hafen geleiten. Dazu habe ich einen „Logenplatz", von hier oben – ein Deck über der Brücke –, kann dem Kapitän und seinem ersten Offizier „über die Schulter gucken", sie bei ihrer Präzisionsarbeit beobachten. Sie merken nichts davon, ich aber bin beeindruckt von der

Dramaturgie des Geschehens, bis das Schiff seine endgültige Position gefunden hat und vor Anker gehen kann. Diese Reise ist zu Ende, ich bin gespannt, wann ich wieder zum Dienst auf ein Kreuzfahrtschiff gehen werde und zuschauen kann, wie das Schiff den Hafen verlässt.

DANK DER AUTORIN

Herzlich danke ich:

Erhard Knauer, Militärdekan a.D., ohne den ich nie ein Kreuzfahrtschiff betreten hätte.

Margrit Tratz, ehemals tätig bei der Evangelischen Auslandsberatung e.V. in Hamburg, die von der ersten Begegnung an überzeugt war, dass ich meine Sache gut machen würde.

Simone Gawarecki von der Evangelischen Kirche in Deutschland, die mich von Zeit zu Zeit freundlich für den Dienst auf einem Kreuzfahrtschiff beauftragt.

Manfred Kahl, Pfarrer i.R., der mir vor der ersten Reise einen kräftigen Rückenwind verpasste.

Claudia Lueg, Programmleiterin Religion & Spiritualität der Verlagsgruppe Patmos, die mich „gefunden" hat. Ohne ihre Initiative wäre dieses Buch nie entstanden.

Petra Zeil, Mitarbeiterin im Patmos Verlag, die das Manuskript sorgfältig und kompetent lektoriert und für die Gestaltung vorbereitet hat.

Dr. Karl-Heinrich Lütcke, Propst i.R., dem ich zwei wunderbare „Wort zum Sonntag"-Vorlagen verdanke.

Peter Martins, der jede „Miniatur" als Erster lesen „durfte".

Else, die sich nie hätte träumen lassen, dass ihre Tochter mal ein Buch schreibt ... und sei es noch so klein.

ÜBER DIE AUTORIN

Katharina Plehn-Martins zog es 1970 vom Niederrhein in die Inselstadt Berlin. Ihr Leben lang war sie eine Reisende im eigentlichen wie im übertragenen Sinne. Sie bringt eine Fülle von Lebens- und Berufserfahrungen mit: Nach zehnjähriger Arbeit als Einzelhandelskauffrau und Sekretärin machte sie über den zweiten Bildungsweg das Abitur, lernte für sich die Bedeutung des christlichen Glaubens kennen, studierte in Berlin und Jerusalem Theologie und Judaistik. Nach der theologischen Ausbildung war sie in ihrer Landeskirche für den Bereich Ökumene zuständig, wechselte später in ein Gemeindepfarramt, wo sie bis zu Beginn des Ruhestandes 21 Jahre als Pfarrerin einer großen Berliner Innenstadtgemeinde arbeitete. Ein Schwerpunkt ihrer Arbeit war die Seelsorge, *ein anderer* regelmäßig von ihr durchgeführte Studien- und Gemeindereisen in die Länder der Bibel wie in verschiedene europäische Länder (Irland, Frankreich, Spanien, Italien). Heute arbeitet sie als Dozentin, Berufs- und Persönlichkeits-Coach und als Bordgeistliche auf Kreuzfahrtschiffen. In ihrer Freizeit genießt sie gemeinsam mit ihrem Mann das kulturelle Leben der Hauptstadt-Metropole Berlin.

TOURISMUS- UND KREUZFAHRT-SEELSORGE DER EVANGELISCHEN UND KATHOLISCHEN KIRCHE

„Bordseelsorge ist Seelsorge für Gäste und Besatzung an Bord von Kreuzfahrtschiffen. Sie ist Teil des Dienstleistungsangebotes der Reiseveranstalter
und zugleich Erfüllung des kirchlichen Auftrags ‚Gehet hin in alle Welt ...‘
(Matthäus 28,19).“

Eingeladen von den Reiseveranstaltern und entsendet von der evangelischen oder katholischen Kirche begleiten Seelsorgerinnen und Seelsorger
Menschen auf Kreuzfahrtschiffen. Sie bieten Gottesdienste, Andachten
und Vorträge an, geben über das Bordfernsehen geistliche Impulse und
sind offen für Gespräche und Fragen. Dabei verstehen sie sich in ökumenischem Geist als Vertreterinnen und Vertreter beider Kirchen.

„Die Relevanz dieser auf den ersten Blick ungewöhnlichen Form der Seelsorge
ist hoch, denn gerade auf einem Kreuzfahrtschiff kommen Menschen rasch zur
Ruhe, haben Zeit, über sich und ihr Leben nachzudenken, und suchen dann
einen geeigneten Gesprächspartner.“

WEITERE INFORMATIONEN

Evangelische Kirche

Evangelische Kirche in Deutschland

Referat für Ökumene und Auslandsarbeit

Herrenhäuser Str. 12

30419 Hannover

urlaubsseelsorge@ekd.de

Seelsorge auf Kreuzfahrtschiffen:

https://www.ekd.de/international/tourismus/98876.html

Kirche in Freizeit und Tourismus:

https://www.ekd.de/freizeit-und-tourismus/kirche-am-besonderen-ort/

bordseelsorge.html

Katholische Kirche

Katholisches Auslandssekretariat der Deutschen Bischofskonferenz

Kaiserstraße 161

53113 Bonn

kas@dbk.de

Kreuzfahrtseelsorge:

http://www.auslandsseelsorge.de/kreuzfahrtseelsorge/

Broschüre Freizeit und Tourismus. Angebote der katholischen Kirche:

http://www.dbk.de/fileadmin/redaktion/diverse_downloads/Dossiers/

Katholische_Kirche_Freizeit_und_Tourismus.pdf. S. 28 f.

Für Notizen

Für Notizen

Für Notizen

....
....
....
....
....
....
....
....
....
....
....
....
....
....
....
....
....
....

Für Notizen